U0944054

萧乾 主编

新编文史笔记丛书

第四辑

46

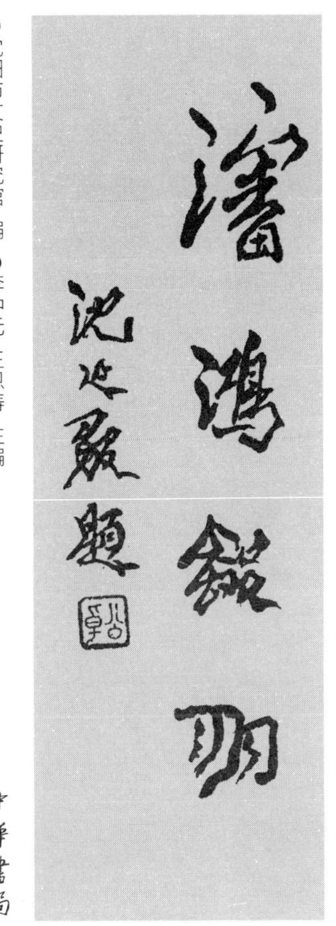

◎沈阳市文史研究馆 编

●李仲元 王恩涛 主编

中華書局

目录

序 …………………………………… 萧乾

侯门旧事

张作霖的结拜弟兄 ……………… 冯月庵 1
大帅府请戏办寿 ………………… 徐雅丽 2
话说“热血楼” ………… 金振古 朱子方 4
张学良出任收回旅大谈判代表 --- 张常胜 5
张学良挽杨宇霆 ………………… 朱子方 7
少帅点戏 ………………………… 徐雅丽 7
张学良将军代人受过而无怨 …… 吴家兴 9
纯属子虚的桃色传闻 …………… 吴家兴 10
于凤至驱“大令” ………………… 徐雅丽 11
于凤至辽西赈灾 ………………… 王庆丰 12
溥仪“选卷”内幕 ………………… 朱子方 14

关东风云

义和团在沈阳也烧了教堂 ……… 王世烈 16
恒知府胡同的革命者 …………… 金振古 17

第一次直奉战争时的一封劝降书 …………………………… 冯月庵 18
第二次直奉战争中的涿州攻守战 …………………………… 庞敏丽 21
柳条湖爆破之谜 …………………… 徐桂荣 22
张学良与东北抗日义勇军 ………… 张德良 23
马占山接见外国记者 ……………… 王世烈 25
于庆级供出日寇屠杀阴谋 ………… 王恩涛 26
平顶山惨案孑遗 …………………… 王恩涛 29
郑孝胥"请假"内幕 ………………… 冯月庵 31
李季风戏弄日本特务 ……………… 郁其文 34
龙斗虎饭 …………………………… 孙春麟 36
一件要案的审理始末 ……………… 李正中 37
一次未遂的沈阳"西安事变" ……… 郁其文 38

吉光清影

清末奉天总兵左宝贵二三事 ……… 王世烈 41
张之汉与《阎生笔歌》 …………… 王庆丰 43
林纾译《巴黎茶花女遗事》 ……… 林大成 44
林纾爱憎分明 …………………… 林大成 45
少年周恩来的模范作文 ………… 李仲元 47
少年周恩来在沈阳改村名 ……… 庞敏丽 50
少年周恩来改诗言志 …………… 庞敏丽 51
何殿甲赠少年周恩来诗文 ……… 李仲元 52
沈阳报界第一位女主编王维祺 … 王庆丰 黄禹篇 王维范 庞敏丽 55
短跑名将刘长春 …………… 王维范 黄禹篇 57

金梁首译《满文老档》 …………………… 佟　悦 58
金梁与皇宫博物馆 ………………………… 佟　悦 60
杨令茀摹绘历代帝王像 …………………… 佟　悦 61
我的启蒙老师李文信先生 ………………… 张秀材 62
空军“天神”高志航 ……………………… 王庆丰 63
金毓黻先生的《遗怀》诗 ………………… 朱子方 65
金毓黻脱樊笼 ……………………………… 朱子方 67
我的老师陈之佛 …………………………… 朱朴存 69
我所认识的向达先生 ……………………… 李　浴 70
赵太侔和俞珊 ……………………………… 李　浴 72
滕固和他的一首抗战诗 …………………… 李　浴 74
我所认识的董希文教授 …………………… 李　浴 75
张伯驹先生轶事 …………………………… 杨仁恺 77
追忆故友韩慎先先生 ……………………… 杨仁恺 78

古沈聚珍

东北最早发现的燕秦古长城遗址
…………………………………… 冯永谦 81
辽阳北园汉代画墓的发掘与保护
…………………………………… 冯永谦 83
鸡冠壶一名的由来 ………………………… 梁淑琴 84
锦州古塔 …………………………………… 常喜书 85
辽代帝后哀册的来历 --- 阎万章　梁淑琴 87
大石面(大十面) ……… 王恩涛　王明琦 90
李文信揭开大铜钟之谜 …………………… 李仲元 91
记录“沈阳”名称最早的石碑 …… 王明琦 93
明彩绘本许论《九边图》 ………………… 阎万章 94

利玛窦《两仪玄览图》 …………… 阎万章 95
最早的一份沈阳城市图 ………… 王明琦 97
文溯阁《四库全书》归沈记
…………… 王维范 黄禹篇 佟 悦 98
蒲松龄《聊斋志异》手稿在沈阳 … 李仲元 100

春风广被

奉天维城学堂 ……………………… 庞敏丽 103
沈阳萃升书院 ……………………… 兴振芳 104
阎宝航创办贫儿学校 …………… 王庆丰 106
张学良将军热心办教育
……………………… 王维范 黄禹篇 108
冯庸与冯庸大学 ………………… 王庆丰 109
《苏武牧羊》歌曲的由来 ………… 郁其文 111
《惜别歌》及其作者 ……………… 郁其文 113
《五月的鲜花》响彻大地 ………… 王庆丰 114

柳边风情

过本命年的渊源 ………………… 朱子方 117
满族旧俗——祭索罗杆 ………… 李燕光 119
满族旧俗——供祖宗板架 ……… 李燕光 120
实胜寺跳跶 ……………………… 王世烈 121
广宁园丁 ………………………… 李燕光 123
清末锦州地区的养马庄头 ……… 李燕光 124
天齐庙会 ……………… 庞敏丽 王世烈 125
吉林市群山与四象 ……………… 张秀材 126
沈阳城的荒诞供奉 ……………… 吴 畏 128

三十七门花会 ………………………… 王恩涛 130

沈城遗迹

八王寺的泉水 ………………………… 庞敏丽 133
斗姥宫与书画道长葛月潭 ……… 王世烈 135
奉天同善堂 …………………………… 王世烈 137
徐世昌建奉天公园 ………………… 庞敏丽 138
早年沈阳的高尔夫球活动 ……… 王庆丰 139

红氍毹上

此曲只应天上有,人间那得几回闻
——记余叔岩的艺术魅力 … 李 浴 141
一代名伶的厄运 …………………… 周仲博 142
京剧红生关外唐 …………………… 徐雅丽 144
著名武生周少楼怒斥宪补 ……… 周仲博 146
家庭票社——晶晶剧团 ………… 余 佳 148
堵全山独创奉锣 …………………… 余 佳 149
梆子小科班创始人袁绶卿 ……… 徐雅丽 150
雌雄难辨的月明珠 ………………… 徐人美 152
评剧皇后李金顺 …………………… 徐雅丽 153
中国第一部评剧舞台艺术影片 … 徐雅丽 155
《花为媒》一唱惊汉奸 …………… 徐雅丽 157
萧军与《马振华哀史》 …………… 余 佳 159
筱摩登与《戒毒大观》 …………… 徐人美 160
复盛戏社与奉天落子 ……………… 余 佳 161
奉天落子演出基地——大观茶园
…………………………………… 徐人美 163

筱桂花与“大舞台义地” ………… 徐雅丽 165
霍树棠与东北大鼓 ………………… 李燕光 166

食不厌精

名馆二酉轩 ……………………… 杜宏博 168
马家烧麦 ………………………… 杜宏博 170
宝发园的四绝菜 …………………… 宝　英 171
老山记海城馅饼 …………………… 杜宏博 172
红极一时的南园、玉华台饭庄 …… 唐　仲 173
李连贵熏肉大饼 …………………… 唐　仲 174
杨家吊炉饼 ………………………… 唐　仲 175

东鳞西爪

“小云南”在何处 ………………… 李燕光 177
辛亥革命中的袁金铠 …………… 王庆丰 179
追悼辛亥革命中关东烈士挽联拾萃
………………………………… 王庆丰 181
查拳大师刘保瑞 ………………… 王庆丰 182
沈阳的销毒壮举 ………………… 舒英华 184
刘湘挽联 ………………………… 黄禹篇 185
东北文艺界的一场论战 ………… 郁其文 186

后　记 ……………………………………… 188

序

萧　乾

读书界向来对野史有所偏爱。野史大多是信手拈来的历史片断，且往往出自亲历者之手。文直事核，不虚美，不隐恶，而文笔潇洒自如，意味隽永，自然朴实，篇幅不长；可以摊开来仔细咀嚼，也可供茶余酒后、行旅倥偬中，随手浏览。

鲁迅在《华盖集》中，曾几次对野史表示过好感。在《忽然想到》一文中写道："历史上都写着中国的灵魂，指示着将来的命运，只因为涂饰太厚，废话太多，所以很不容易察出底细来。正如通过密叶投射在莓苔上面的月光，只看见点点碎影。但如看野史和杂记，可更容易了然了，因为他们究竟不必太摆史官的架子。”又在同书《这个与那个》一文中说：“野史和杂说自然也免不了有讹传，挟恩怨，但看往事却可以较分明，因为它究竟不像正史那样地装腔作势。”

全国文史研究馆所编的《新编文史笔记》丛书，内容也属野史杂说的范畴。我们希望这些以亲闻、亲见、亲历为主的轶事掌故、琐闻杂记，写人、事而摒除误会曲解，述历史而符合真实面目。

作为一种短隽有味，文字清奇而又雅俗共赏的文学体裁，笔记在中国具有悠久的传统。它始自魏晋，盛行于宋代。南朝刘义庆的《世说新语》，北宋沈括的《梦溪笔谈》，南宋陆游的《老学庵笔记》，明朝张岱的《陶庵梦忆》，清朝纪昀的《阅微草堂笔记》以及20世纪30年代初丰子恺的《缘缘堂随笔》，都是文学史上的奇葩。然而，近年来笔记乏人问津。因此，我们出这一套书，也包含着挽回颓势之意。

全国三十二所文史研究馆拥有雄厚的稿源，两千多位馆员和各馆联系的社会人士，都是丛书的撰稿人。他们都是文史界的耆宿，见多识广，阅历丰富：有的反对过帝制，有的在“五四”运动中扛过大旗，他们目睹过军阀的横行霸道，也经历过艰苦卓绝的八年抗战。这些历尽沧桑的饱学之士，他们的所见所闻，都是弥足珍贵的史料。

本丛书分辑出版，分别由各地文史研究馆编辑，内容亦以本乡本土为主。因此，各册势必具有浓厚的地方色彩。

本着笔记固有的传统，所收各文题材不嫌庞杂。举凡与文史有关的政治、经济、军事、文化、社会等方面，或记闻见杂事，或叙往昔交游，或忆社会百态，均在搜罗之列。时间跨度则自清末以迄1949年为止。这正是中华民族从闭关自守到走向世界，从落后羸弱到奋发图强，是天翻地覆、风起云涌的大半个世纪。其间，发生过多少可歌可泣的事迹，涌现过多少杰出的人物。以这一时间跨度为背景题材写出的笔记作品，必然是内容最为丰厚的。

在选稿标准上，我们坚持史料一定要真，内容要新；既要防止以讹传讹，也力避炒冷饭。在写法上务求短小精悍、生动活泼。每篇以千字为度，希望借此在文风方面，提倡一下简约。在版式上，则想做到既利于阅读，又便于携带。

恳切希望文史界方家及广大读者，不吝赐正。

张作霖的结拜弟兄

冯月庵

张作霖的结拜弟兄共有八位，以年齿为序，即马龙潭字腾溪、吴俊升字兴权、孙烈臣字赞尧、张景惠字叙五、冯德麟字凌阁、汤玉麟字阁臣(一作忱)、张作霖字雨亭、张作相字辅忱。八人中，除马龙潭为清末武官外，余则出身于绿林草莽，攀附张作霖而起家。张的七位兄弟中也曾有人反对过他，甚至以兵戎相见，但张对之仍颇讲“江湖义气”。如冯德麟在绿林道中，其威望远胜他人，张作霖驱走段芝贵，取而代之为奉天军务督办时，任冯为军务帮办。冯颇不服命，盛怒之下，率所属二十八师回北镇另立山头，与张分庭抗礼。其后，汤玉麟部下在沈城西关一带滋事，被省警务处长王永江部下警察抓获拘审。汤气势汹汹向警务处索人，王据理力争，几至操戈。讼至张作霖面前，张则大骂汤，反而慰留王永江。汤一怒之下，带领本部人马投向冯德麟，共同起兵反张。冯、汤失败后，流亡关内，二十八师被张作霖改编，由张作相任师长。张勋复辟时，冯以拥护复辟，失败后被捕入狱。张作霖不念旧恶，向北洋政府施加压力，冯得获释，返回奉天，张作霖聘之为高级顾问。此时冯无权无势，且衰朽残年，不久郁郁而殁。汤玉麟居关内作寓公亦非久长之计，经众弟兄劝说弥合，由张作霖召回奉省，先后任洮辽、东边镇守使。又如张景惠，第一次直奉战中，首先溃败，致使奉军全线崩溃，无颜返奉，留寓关内，终得张作霖谅解。张作霖一生重“义气”，其所以能为枭雄推戴，愿为效死，不为无因也。

大帅府请戏办寿

涂雅丽

大帅府乃大元帅张作霖在奉天城（今沈阳市）的府第，1919 年张在此为其岳母王老太太办寿。山珍海味及各种稀世寿礼均已备齐，在文娱节目方面，则邀请京剧名角程艳秋先生前来演唱，足可使寿堂增辉。仍感美中不足的是，寿星老太太喜听落子（即评剧），而当时奉天城没有落子名角演出，一时请不到，阖府抓急。

此事为庆丰大舞台老板袁绶卿所闻知，袁是齐齐哈尔至北京间铁路沿线脚行总头目，经常为张作霖押运军火，彼此关系至为密切，又与张作相三公子为结义弟兄。他便自荐包揽此事，作为进身之阶。

当时警世戏社在哈尔滨庆丰茶园演出。某晚，金开芳正演《书囊记》，忽然闯进一群荷枪实弹的士兵，为首者即袁绶卿。他阔步登台，向群众宣布："张大帅请戏社进奉天献艺，连夜出发。演出至此结束，各位请回府！"士兵驱观众退场，秩序为之大乱。袁又率兵到后台催演员收拾衣物，随即押往奉天。

抵奉天后，全体演员被安顿在庆丰大舞台后台居住。天寒地冻，冷得夜不成眠，大家只好挤作一团，以体温共暖。

寿诞之日，他们在寿堂连演三场。首场为折子戏；二场为金开芳的《花为媒》、月明珠的《杜十娘》；三场月明珠与金开芳合演全本《桃花庵》。三场戏使寿星太太和帅府宝眷眉开眼笑，却苦了戏社的演员。他们连续几大没吃好，没睡好，人人精疲力竭，可又不得不忍气吞声。

祝寿戏演完，袁绶卿立即宣布："大帅作了东北巡按使，要搞慈善事业，须义演一月，每天

每人发一元饭费。”一元钱只够自己饱肚，家中老小生活却无着落。然官府之命不可违，只好勉强登台连演了四十天。

他们连日演出，加之心情不畅，过度疲劳，某夜，睡前忘了熄炭火，夜半煤气中毒。幸而一演员外出归来，见状大惊，于是逐个拖至户外，大家才得存活。苏醒之后，他们将心中的怨愤和辛酸凑成打油诗一首，借以抒怀：

押戏祝寿到奉天，受冻挨饿苦熬煎。
权贵开心艺人苦，谁知人间行路难。

话说“热血楼”

金振古　朱予方

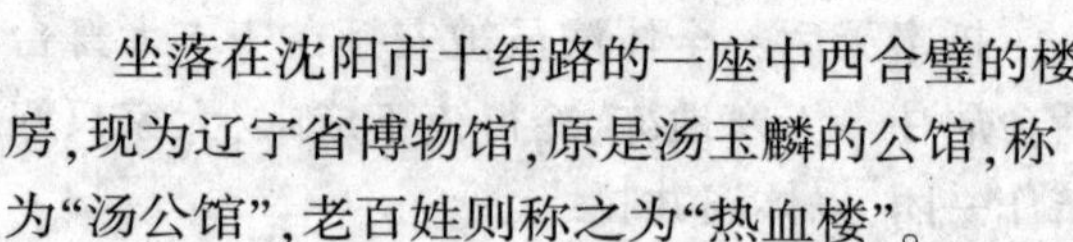

坐落在沈阳市十纬路的一座中西合璧的楼房，现为辽宁省博物馆，原是汤玉麟的公馆，称为“汤公馆”，老百姓则称之为“热血楼”。

这座洋楼系德国工程师设计，中华冯记建筑公司承建。其内部结构、装潢及外部的壮观华丽，在当时的沈阳堪称一流，远胜其他私人公馆与政府衙署。楼前有悬冠以停车马，门内正中是拱形大厅，高达楼顶，北壁呈半圆形，突出于两侧墙外，上部皆玻璃窗，厅内宽敞明亮。大厅可作会议厅、宴会厅、舞厅、剧场之用，主人置身二楼，即可一览无余。一楼的天花板、护墙板和门窗均用菲律宾的名贵木材制成,雕刻精致,油漆颜色和谐。地板则铺美松,楼梯墙壁镶砌花岗岩石板。楼外墙面全部镶嵌白瓷砖,远远望去,闪闪发光,煞是壮美。楼上楼下,尚有防卫设施。一楼东西两侧各有一平台,外砌围墙,作为防卫掩体;二三楼两侧楼梯皆置铁门,楼顶四周设枪眼,院落的南北两座大门均为铁门。遇有风吹草动,便可层层防守,主人之用心,可谓良苦。

汤玉麟,奉系关领之一,阜新人,绰号汤二虎。随着其拜把兄弟张作霖的权势之增长,其地位亦日益高升,1926年任热河省主席兼防守司令。张作霖死后,则以元老自居,视热河为私产。其长子为禁烟局长,次子为财政局长,省内肥缺要职,多安插其亲故,遂得以肆意横征暴敛,鱼肉人民。民国二十年(1931),地亩税即已预征到民国五十年或六十年。他的这座公馆就是用热河省劳动人民的血汗建成的,故而群众呼之为"热血楼"。

张学良出任收回旅大谈判代表

张常胜

旅顺、大连租借地租期为二十五年,1923年

3月26日期满。中国政府理应按约收回，张学良代表东北地方政府同日本驻奉天领事林权助进行谈判。林权助诡称旅大租借地是日俄战争中日方牺牲了二十万人生命换来的，是他们花费了人力和财力建设起来的，他以此为由头，拒不交还。张学良将军据理力争，并根据中国当时的实力情况，提出一个方案。他对林权助说："旅大问题，我们可以很好地合作解决。我们承认日本在旅大多年的建设，可把旅大作为自由港，让旅大居民自由选举，由选出来的人治理这个地方。主权是中国政府的，负责治理的权力在他们手中，以中国人为中心，但当选的也会有日本人。"张将军是从发展旅大和与日本友好的愿望提出这个合理构想的。但当时日本正在向外扩充势力，悍然不予接受。林权助说："你想的那个事情是做不到的。我一点不客气地同你讲，我们日本有句谚语：'城是箭射得来的，还要用箭射回去'，旅大是血汗换来的，还要用血汗换回去！"这种充满火药味的蛮横态度，使张学良认识到，没有政府的强大后盾，是无法与侵略者谈判的。

激于义愤的张学良将军，此后立即开始修建葫芦岛港，扩大自建自营的东北铁路网，以与日本侵略者相抗衡。

张学良的这些远大计划，终因"九一八"事变而搁置下来了。

张学良挽杨宇霆

朱子方

杨常事件后，张学良曾挽杨宇霆一联，金静庵先生认为此联“写得极贴身份，故为佳制”，并记之于《静晤室日记》。其联云：

讵同西蜀偏安，总为幼常挥痛泪；
凄绝东山零雨，终怜管叔误流言。

少帅点戏

涂雅丽

1935年某日，上海黄金荣、杜月笙等假国际饭店宴请张学良将军。时白玉霜、爱莲君、钰灵芝三位评剧名伶正在上海演出，白玉霜、钰灵芝被邀去唱堂会。

开始，张将军点《败子回头》剧目，其故事梗概为：富商王昌之子，在其父告诫下，认清了妓女花翎的虚情假意，与妻子重归于好。白玉霜、钰灵芝唱得优美，表演得细腻，张将军听得仔细。剧情结束，余兴未尽，张将军又点了一出《十三姐进城》。二人配合默契，演出效果极佳。张将

军极为欣怿，各赏给五十大洋，并挽留一同赴宴。

酒宴开始，白、钰有些敬畏而拘谨，张将军故意说些风趣话，惹得大家捧腹大笑。张将军就钰灵芝口音而问："你是东北人吧！" 钰灵芝回答："我是奉天人。"张将军高兴地说："啊！咱们是老乡嘛！"接着赞扬说："咱们奉天人唱落子最好听了！"身旁的白玉霜接着话音说："少帅，这么说，我们天津人唱得就不好听了？"将军急忙摆着手说："不，不，你们天津人唱得更好听，不然怎么都称你为'评剧皇后'呢！"一句话说得大家哄堂大笑。

席间，不时流露出怀乡之情。将军问钰灵芝想不想吃老家的高粱米饭，钰灵芝说："想得很。"张将军说："现在打仗，等赶跑了日本兵，你就回老家唱戏，那就可以天天吃香喷喷的高粱米饭了。"

最后张将军颇有感慨地说："你们做艺人的很苦啊，不过你们到处受欢迎，北方人欢迎你们，到上海也演得很红，很了不起。你们若再排些抗日救国的戏，会受到更多人的欢迎。"

钰灵芝多年也没忘记张将军极为亲切的接见和话语。

张学良将军代人受过而无怨

吴家兴

1936年6月间，张学良和杨虎城两位将军为了统一认识，准备抗日，在陕西省长安县南王曲镇创办了王曲军官训练团。张任团长，杨任副团长，主要训练东北军和西北军部分师团长以上的军官。我当时在张将军西北总部办公厅机要科任上尉科员，有幸参加了为训练团培训骨干先期成立的干部连。学员约二百人，为期两周，连长由王以哲担任。在此期间，张将军自始至终和学员们同吃、同住、同训练。当时条件十分艰苦，学员们住的是窑洞，连饭厅里的桌、凳都是土台子做的，晚上也没有电灯。张将军坚持和学员们一起生活，从不搞特殊化。我们最盼望的还是晚饭后那段时光，因为张将军常和我们围坐在一起摸黑聊天，大家最喜欢听他讲有关东北的一些掌故，什么"杨常事件"、"郭松龄倒戈"等等，从他嘴里娓娓道出，使人如同身临其境。一天晚上，张将军讲了这么一番话，使我铭刻于心，永世难忘。他说："'九一八'事变，东北丢了，国人都骂我是'不抵抗将军'，我从来不加辩驳，反正'不抵抗'的罪名得有人来背。有的人遭受不白之冤，被人詈骂，感到委曲、焦灼，总想

用各种方式辩解清楚，目的无非是把自己洗刷干净，而把错误和责任推给人家。我不这样做，宁愿自己承担骂名，也不辩驳。可现在寇祸更深，国势危殆，我是国难家仇集于一身，再不让我带兵打日本，恢复东北失地，那就不行了。我坚决主张停止内战，一致抗日，要是我哪一天不抗日，你们可以开枪打死我。"

纯属子虚的桃色传闻

吴家兴

有一次张学良将军同我们闲谈时，笑着说："我最大的冤枉是，人家都说'九一八'事变那天晚上我和胡蝶女士跳舞，因而丢了沈阳。有个文人还在报上刊登了两首七绝来讥讽我，一首是'赵四风流朱五狂，翩翩胡蝶正当行。温柔乡是英雄冢，哪管车师入沈阳'。还有一首是'告急军书夜半来，开场管弦正相催。沈阳失陷休回顾，且抱阿娇舞几回'。其实直到今天(1936年7月)我都没见过胡蝶女士一面。'九一八'事变那天晚上，我和于凤至正在北平中和戏院陪英国大使兰普森夫妇看京剧，一名卫士匆匆跑来，递给我一份电报，是参谋长荣臻打来的，报告日本发动侵略，炮击北大营的情势。在外国大使面前是不能显得张皇失措的，我把电报揣进兜里，然后向兰普森大使说我身体不适,要早点儿回去,让于凤至继续陪他们看戏。于是我火速赶回顺成王府的住处,处理此事。现在兰普森还在北平,你们若不信,可以把他请来作证。今年春天,我去南京办事之后去上海,见到上海警备司令杨虎(字啸天),向他谈起此一冤案。杨啸天说,这好办,今天晚上由我请客,让胡蝶女士来与你见见面,也好给你雪雪冤。可是当天下午我因有急事,匆匆回到了西安,杨虎的晚宴我没赶上,所以胡蝶与我始终一面未见。”

张学良将军当年忍辱负重的气魄和豪爽风趣的性格,至今仍使我留有深刻的印象。

于凤至驱“大令”

涂雅丽

民国时期,奉天的剧场、茶园演戏都受警察署监管,并由缉查处派出执勤人员,到各剧场检查上演剧目内容和场内可疑观众。每个剧场一进门的正中,设一专门席位,称“大令”或“临监席”。这些人抱着一个金皮大令(就是在箭形的木牌上写的一个大“令”字),只要他们耀武扬威地走进剧场,管事的马上喊:“大令到!”台上的戏不管演到什么关节,都得停下来。琴师立即放下手中弦乐,操起大笛或唢呐吹奏迎宾曲牌。台上演员垂手立正，笑面相迎。直到大令坐好，向台上一摆手，示意继续演出，台上才得重开戏。前台二柜（小卖店）人员跑前跑后，为他们上茶、递烟。他们要走时，戏又得停下，再吹奏一番欢送曲。如若他们出出进进几次，多好的戏也被搅得七零八落，演员和观众心烦意乱，情绪大减。

1928年末的一天，筱桂花在北市场共益舞台演出《昭君出塞》，张学良夫人于凤至悄悄地带着几个人坐在包厢里看戏。戏正演到精彩处，一句唱腔没甩完，下边就喊起“送大令”之声，锣鼓声腔骤停，响起送大令的唢呐。

观众议论纷纷，怨声不绝，于凤至也很生气地说：“这叫什么规矩？大令不但不能维持秩序，反而把戏搅乱了，老百姓连安静看戏的自由都没有了，我看要他没用。”她大概把这件事告知了少帅，不久，各剧场果真取消了“大令”。

于凤至辽西赈灾

王庆丰

辽宁西境各县，位于群河下游。由于长期战乱，水利废弛，1930年7月下旬，淫雨连绵，洪水泛滥成灾。西起绥中、锦县、义县、北镇、盘山、彰武，东及台安、黑山、新民、辽中，长六七百里，宽二三百里，处处汪洋，尽成泽国。于凤至时在北戴河疗养，从报告中得知有数百万民众遭受苦难，急待解救。她便骑上毛驴，辗转于辽西地区视察灾情，随后赶回沈阳，除自行捐款急赈外，并出面邀请各机关、社团首脑、工商金融界人士，以及社会文化名流，在东北文化社开会。当即成立“辽西水灾协赈会”，由张学铭担任总干事，展开募捐活动。

首先决定假同泽女子中学举办书画展览，将张学良收藏的古字画、刻丝等珍品全部展出，并责成专人求借于名人私藏，从广大观众中募集灾款。其次，在大西边门外商埠游艺园举办赈灾游艺大会，内中设有新剧(即话剧)、亚细亚魔术班、张筱轩鼓书、京戏、电影、舞会、音乐会等项目，连续多日，热闹非常。此外还有同泽女中等校学生走上大街，插花募捐。当时著名电影演员王人美特来沈阳义演，京剧艺术大师梅兰芳也在天津为赈灾献艺。而最主要的则是经张学良批准，以“辽西水灾协赈会”名义，向社会发行“赈灾奖券”。

我的老友杨尊圣至今还保存着一张“赈灾奖券”。奖券为浅蓝色，正面印有“张于凤至主办”、“辽西水灾协赈会赈灾奖券”和奖券号码等字样，带花边的四角印着“壹圆”面额，下边注明“民国二十年五月一日开奖”，版心隐现“为善最乐”的团形篆文，右侧骑缝线盖有半斜公章。另于简章中规定：发行数为五万张，“专为辽西水灾急救之用”，“不得从中截留他用”。现在这张票据已具有文物价值。据悉,当时奖券很快就全部销尽。

溥仪“选卷”内幕

朱子方

所谓“选卷”,乃隐语,实际是为溥仪选妃,亦称“选秀”,是溥仪的老师陈宝琛、朱益藩和伪满秘书长胡嗣瑗等人秘密筹划的,溥仪秘档里有较详细记载。

1932年,日本帝国主义制造了伪满洲国,扶持溥仪先当“执政”后做“皇帝”。傀儡皇帝盲目认为恢复“祖业”有望,发下三般誓愿,其中一条是求上天降一皇子,以承继大清基业。

溥仪本有一后一妃,均出身于满洲贵族。皇后婉容,满洲正白旗郭布罗氏荣源的女儿;淑妃文绣,满洲额尔德特氏端恭的女儿;都是他十六岁时同娶入宫的。婉容一直未育,文绣在天津时即已离异。婉容又多病,故而在伪满大臣看来,“选卷”是刻不容缓的有关“国本”的大事。

“选卷”倡议之初,有一“启事”,出自陈宝琛之手,时在1933年冬。次年农历五月三十日,陈致胡嗣瑗之密札说:“去冬提议(指启事),固于体育国本有关,亦防空谷来风,预为之备,至今已将半年。”可见选卷之发起,一在“体育国本”,

一在“防空谷来风”，即怕日本为溥仪选日本女子为妃。

“选卷”进行得颇为迟缓，直至1936年2月尚未选定。物色对象，原限满族，后来放宽，“不分汉满，皆可入选”，然应选者仍甚寥寥。朱益藩说：“数月以来，到处碰钉，几于十扣柴扉九不应，实苦难于措手。惟有竭力搜访，冀有以仰副上意。”无论贵贱之家，谁也不愿意把自己女孩往火坑里送。

稽迟的另一原因，与溥仪挑选过严也有关。他既重容貌才品，又重家世门第，还要看是否受社会沾染。因之久久“未获惬意之卷”（朱益藩语）。连载涛也说：“尚未有所获，不胜焦灼。”

据陈宝琛、朱益藩《密札》反映，前后所送“选卷”计十一卷，最后究竟选定哪卷，《密札》中无下文，未做交待。据《我的前半生》，溥仪第三次结婚，娶的是谭玉龄。谭属满族，姓氏为他他拉氏，北京一个初中学生，结婚时则十七岁。这位谭小姐应该就是费时四年的“选卷”榜首。

义和团在沈阳也烧了教堂

王世烈

沈阳南关有座巨型的天主教堂，老百姓称之为“洋楼”。其前身原名“奉天主教府大堂”，竣工于光绪四年(1878)，法籍传教士方若望所建。中间为平顶大堂，东为主教府和教士公寓，西为司铎住宅和育婴堂。这是当时沈阳最大的建筑物，是东北教区教务和天主教人士活动的中心。

光绪二十六年(1900)，盛京义和团兴起，他们烧香练拳，赤膊对阵，男子称义和团，女子称红灯照。大法师是山东拳师刘喜禄和张海。

同年6月30日，义和团首先围攻并烧毁了

抚近门(今大东门)外的英国教堂,接着又烧毁施医院和德胜门(大南门)外的讲书堂等几处洋人传教所。7 月 1 日,围打天佑门(小南门)外的法国天主教堂,即奉天总堂。法国主教纪隆率众教徒用洋枪洋炮负隅坚守,义和团未能得手,次日又分八面布阵围攻,一举攻破,并放火焚毁了这座大堂。

现在的教堂,是 1912 年南满教区法国苏裴理斯主教利用庚子赔款一百四十四万两白银,在原址重建的。过去的平顶,变成两座高四十米的尖顶钟楼了。

恒知府胡同的革命者

金振古

清末东北革命党人恒宝昆的父亲，乃四川成都知府，故其奉天城私邸所在胡同叫恒知府胡同。宝昆的长兄宝勋曾任清内务府大臣。恒氏家族对清朝效忠有功,被封为世袭四品官爵。

恒宝昆生长在慈禧听政时代，亲见政府之腐败与人民之困苦,于是立志救国,绝意仕进,剪掉发辫,改着西装。又冲破礼教束缚,与汉族姑娘林氏结婚，并结识了从日本留学回奉天的同盟会领导人张榕。由于两人志同道合,经常来往,遂成至友。经张榕介绍,宝昆又结识了另一

革命党人、《国民报》主编田亚斌。田氏在奉天城组织了“奉天同盟会”，常在恒公馆吟诗作赋，表面上以文会友，实际是从事秘密革命活动，有时开会到深夜。宝昆夫人林氏也出面接待，她支开一切佣人，为他们做掩护。

1911 年武昌起义的消息传到奉天城后，东三省总督赵尔巽立即进行“保境安民”的宣传，准备镇压革命。恒宝昆则在夫人支持下，变卖部分家产，购买大批武器，到处联络有志之士，争取新军中的进步分子，决心夺取政权。

1912 年 1 月 23 日深夜，赵尔巽下令捉拿革命党人，张榕和恒宝昆惨遭杀害，恒时年仅三十二岁。

恒宝昆以一个满洲贵族，能摆脱家庭的旧观念而为革命献身，确是难能可贵，值得敬仰。

第一次直奉战争时的一封劝降书

冯月庵

第一次直奉战争时，直军第十五师师长彭寿莘担任直军第一路前敌总指挥。他得知奉军中有个日本陆军大学毕业、屡立战功、颇为张作霖所倚重的旅长李景林(字芳宸)，便给他写了一封劝降书。现抄录如下,以见当年军阀混战时勾心斗角之一斑。

芳宸仁兄旅长麾下:

久仰俊采,时切思慕,识荆无缘,抱歉滋深。敬维勋祺懋吉,英威丕著,下风引领,无量为颂。弟于日前驻军大城,滥竽总司令之职,探闻吾兄节莅马厂,昔本同舟,今成敌国,兴念及此,无任浩叹。慨自直奉构衅,皆被政客利用,杂以党派分歧,双方煽惑,假私害公,致召今日。追源祸首,咎有攸归。敝宪曹帅(直系头目曹锟。——编者)秉性笃厚,遇事谦抑,昭昭耳目,吾兄亦当素稔。此次雨帅(张作霖字雨亭。——编者)兴师动众,曹帅顾念素谊,节节退让,冀希谅解,以全友道,而顾戚谊。乃雨帅妄纳奸计,逼人过甚,设身处地,谁能堪此!

至于吴使子玉(吴佩孚字。——编者)当代英雄,妇孺尽知,综核半生事业,无非为国为民,武穆公不爱钱,不怕死,正吴使之谓也。吾兄一时豪俊,当早睿查。夫直军多系吾兄手足袍泽,而直省又系吾兄桑梓父母,当此直奉失和之际,若犹不倾心回向,将来有何颜见乡邦父老?况择主而事,古贤皆然,以吾兄之才德,而屈服于不足重轻之俦,胜则无功可居,败则贻羞万世,虽至愚之人,亦不为是,明达如吾兄,谅当早知变计也。且现在各省大员,皆欲称干比

戈,与雨帅敌抗,已有灭此朝食之心。设一旦雨帅被逐,恐吾兄去无可去,归无可归。情关桑梓,思之能勿代为泪下。弟非好为离间,实以大义所在,惟吾兄图之。

再,查奉军向属散漫,排斥异己。雨帅忌才嫉能,是其惯技。试看孟树村、许芝田等,不难了然。敝军现为奉人欺压已极,忍无可忍,思为自卫起见,不得不反守为攻,背城借一,以决雌雄,胜负之机,不待智者而知。吾兄明达,请早见机,并希反观回顾,当以祖宗子孙为重,若能弃逆投顺,助直灭贼,功在万世,名垂千古。曹帅、吴使必将借著吾兄永矢弗替矣。不揣冒昧,用布区区,纸短情长,不尽缕缕。专此芜函,并请赐复为幸、为祷!敬请勋安。诸惟荃照不宣。

愚弟彭寿莘鞠躬

四月二十六日

李景林阅信后未为所动，为了表示对张作霖忠贞不二，他将此信转给了张的参谋长杨宇霆(原件现存辽宁省档案馆)。

第二次直奉战争中的涿州攻守战

庞敏丽

1924年第二次直奉战争中的涿州攻守战，不但极为激烈，而且颇具戏剧性。

涿州守将为山西第四师师长傅作义，以善守而闻名；奉军由前敌总指挥张学良主攻。经过一百天的攻与守，结局是双方握手言和。

当时傅作义二十九岁，张学良二十五岁，均为年轻将领。战斗打响，奉军发起猛烈攻势，均被傅作义瓦解。后来奉军使用地道战术，也被傅作义识破，给予土崩。涿州岿然独存，全赖傅作义这位守城名将。

奉军伤亡较大，张学良召集部下商讨对策，最后决定对涿州采用围而不攻的策略，在涿州城外设铁丝网、地雷、战壕三道防线，严密封锁。在水泄不通的情况下，傅作义守军粮绝，最后把几家烧锅的酒糟也吃光了，到了山穷水尽的地步。傅作义无奈，只好派人去和张学良谈判。张学良只提一个条件：要傅作义亲自来面谈。1925年1月，傅作义只带两名副官，离涿州大营到张学良驻地，颇有点单刀赴会的劲头。二位将军一见面,未及寒暄,傅作义便说:“城内军民已两天没吃饭了!”张学良立即令奉军准备三天的粮食,火速送往涿州城内,然后才坐下来谈判。傅作义对张说:“我不向你投降,你也不能缴我的械。我和平撤出,你和平进驻。”张学良非常赞许,他虽为胜者,却很谦虚。傅作义虽为败者,却不卑不亢。求仁得仁,各具特色,堪称一时豪杰

柳条湖爆破之谜

徐桂荣

1931年9月18日夜10时20分,在沈阳北郊柳条湖村附近,日本南满铁路发生一起爆破事件。日本关东军立刻诬称是中国东北军所为,我东北当局则严词否认。南满铁路这段路轨究竟是谁炸毁的,长期以来一直是个历史之谜。

就日本方面说,当年其外相币原喜重郎在9月19日日本内阁会议上,第一个提出柳条湖事件是“陆军的密谋”,但内幕不清。第二年,日本天皇问关东军司令官本庄繁,本庄也说不知。

中国方面,东北当局张学良、荣臻等反复声明“我方绝无此事”,但他们同样不明真相。

1932年国际联盟调查团只说此事是日军所为,却拿不出足够的证据。

1948年,东京远东国际军事法庭审判日本

战犯、策划柳条湖事件的关东军高级参谋板垣征四郎。而板垣直到被处绞刑之前,始终未供认事实。关东军参谋石原莞尔也未讲出内幕,后即病死。

直到 1956 年, 当三个知情者中的板垣、石原已死,只剩下关东军参谋花谷正的时候,他才向报界吐露了真情。他说:“十八日夜,岛本大队川岛中队的河本末守中尉,以巡视铁路为名,率领部下数名向柳条湖方向走去。他们一边从侧面观察北大营的兵营, 一边选了个距北大营约八百米的地点, 河本亲自把小型炸药安放在铁轨下,并点了火,时间是晚上十点多钟。轰然一声,枕木被炸坏。但通往奉天的列车,因强烈震荡而倾斜了一下后,仍然安全通过,只把一条铁轨炸断一小段。”花谷道出了真相,原来是日军自毁铁路,贼喊捉贼,嫁祸于人,制造了“九一八”事变。

张学良与东北抗日义勇军

张德良

早在 1929 年 10 月 4 日, 时任东北边防军司令长官的张学良,即颁布了《国民义勇军组织条例》,并亲撰前言。条文规定:凡属中华民国国民或团体,以歼除侵占我国土、压迫我民族之强

敌为宗旨，且具有为国牺牲、效命疆场之志愿者,可投为义勇军。东北义勇军之名称,盖源于此。

东北抗日义勇军首先兴起于辽西。1931 年 7 月发生了万宝山事件;辽宁省警务处长兼沈阳公安局长黄显声到北平向张学良报告，在日军寻衅下,沈阳形势危急,请示对策。张学良说:“蒋介石指示,对日军进攻不可抵抗。”接着又说:“不过你们地方武装可以加紧训练，严加戒备。”遵照张学良指示,黄显声返沈后,将所属公安部队和各县警察编为十二个总队，并发给二十余万支旧枪。“九一八”事变后,9 月 23 日,黄显声下令沈阳警察撤到锦州集中待命。同日,张学良电令在锦州成立抗日政权，黄显声代理参谋长主持军政。28 日，东北民众抗日救国会成立,黄与之共同组织东北抗日义勇军。拟在辽西编组八万义勇军,到 1931 年 11 月末,黄显声所委各路义勇军已达万余人。12 月末,辽西、辽北义勇军共二十二路,总数不下六万人。1932 年 4 月,东北民众救国会以张学良名义,将辽宁抗日义勇军更名为东北民众自卫义勇军,在军费、枪支、弹药、政治、组织、人员上予以全面支持。只是为避免外交上的麻烦，避开蒋介石的不抵抗命令,张学良支援义勇军事项,多交由东北民众抗日救国会“转办”或“机密进行”,故鲜为局外人所知。

马占山接见外国记者

王世烈

“九一八”事变后不久,马占山被张学良任命为黑龙江省政府主席兼军事总指挥，在齐齐哈尔宣誓就职。日人不悦,同年10月27日,关东军司令本庄繁以修洮昂铁路、日方负责护桥为借口，派兵驻守江桥大兴车站。马占山不信邪:“你小日本敢来,我就敢揍你！”于是下令炸毁三孔江桥,并亲临前线,率领手枪队,把多门第二师团、铃木旅团打跑,又一举歼灭张海鹏伪军,赢得震惊中外的江桥大捷。

后来马占山作战略转移,到达海伦,被中外记者围住。一阵拍照之后，记者们提出许多问题。一个外国记者问:“马将军,你兵少,装备又差,反而把装备精良的日本军打败,请问阁下当时是怎样的心情？”马将军紧攥拳头愤愤地说:“小鬼子武器精良顶个屁！在俺们中国家门口,他撒什么欢儿？告诉诸位,小鬼子在俺们中国呆一天,我就揍他一天,就是打不过他们,也甩他一身大鼻涕！”一席朴实通俗的话把中国记者都说笑了。外国记者却摸不清何意,见他的激动神态和会场气氛,想来一定是重要的演说,便握笔等待翻译,以便记录。翻译官一想,“甩他一身大

鼻涕”的话该怎么译呢？直译，有伤大雅，不译吧，外国记者又在等着。翻译官没有直译，只说：“我们中国人不是好欺负的，即使我们流尽最后一滴血，也要把日本撵出东北，保持国土完整，决不做亡国奴！”外国记者听此豪言壮语，禁不住都鼓起掌来。马将军一愣，说：“怎么？我这一甩大鼻涕，这些耍笔杆子的反倒鼓起掌来啦！”

于庆级供出日寇屠杀阴谋

王恩涛

于庆级是伪满抚顺县县长夏宜的翻译官，他参与了日寇屠杀平顶山和平居民的全过程。解放后被押在抚顺监狱，供出日本侵略者屠杀中国人民的阴谋。由于写作的需要，编者见到了这份供词，很有史料价值，故而节录在这里。

“旧历八月十四日下午三点，由守备队长川上在守备队长室召开一次主要机关长会议。被召集出席的有小川、炭矿长久保孚、山下日本警察署长、夏宜、于庆级(以翻译身份参加)。

“会议由川上主持，他首先叫各机关长报告一下，八月十二日召开会议的情况……夏宜指示我(于庆级)报告。我说，包括抚顺市区大刀队(抗日救国军——编者)

的兵力约二千名。其主力在城南，距市区最近距离约十里，装备不齐整，带队人员为王司令、韩司令。根据移动频繁情况，估计近日可能向市区进攻等。各机关长所谈的情况基本相同……。

"八月节午夜十二时前后，大刀队由南方(经过厉家沟、千金堡等屯)向市内开始进攻，占领区遭到破坏及损失，以后，在三点多钟退出……。

"在进攻市区第二日早六时，由宪兵队小川挂电话来叫我去……在宪兵队已有川上、小川和山下。在小川办公室(川上表现愤怒、暴躁，小川表现冷淡，山下有些不安)都没有说什么寒暄话。川上首先发言说:'昨晚大刀队进攻抚顺矿区，是经由厉家沟等屯子，分驻所报告大刀队进入该村屯。他们知道但未报告给分所，所以受到很大损失，可以确定他们通匪(大刀队)，现在合计一下处理这个屯子的问题。'山下问:'怎么处理呢？'川上说:'彻底杀光烧光，你们(看着山下和于庆级)有什么意见？'山下说:'我倒没有特别意见，不过那样做是否有些过火？'又问我(于庆级)说:'你有什么意见？'……我战栗地说:'我没啥意见。'川上说:'既然大家都没什么意见，我们决定这样办(表现凶恶和坚决)，即由现在开始把村子都看起来，不要他们都跑掉了。在八点前后开一次机关

长会议，征求意见，通过立即执行。屠杀地点为厉家沟，杀光、烧光，由守备队宪兵队执行，集合方法是告诉群众，守备队给他们讲话，把他们全部诱导到现场……'。

"在我出来的时候，山下表示踌躇不安，川上、小川怒气未息……。我坐汽驴子回县后，向夏宜把情况报告以后，夏宜表示很不安地说：'川上这样做怎么办呢？'(时间不到七点钟)

"屠杀前的机关长会议。在八点钟由守备队挂来电话，告诉八点钟夏宜到炭矿会议室去开会，夏宜告诉我一起去(以翻译的立场参加)。出席人员：小川、镰田、炭矿久保、庶务科长、土地系主任、日本警察署长山下、原田、伪局长、赵翻译、立田指挥官、夏宜、于庆级。会议由川上主持，他首先以怒气未息凶恶的面孔，指责各机关的情报不及时不准确，大刀队是经由厉家沟、千金堡等屯，而这两个屯未能把大刀队进攻的消息报告给分驻所，所以使炭矿及日本人受到很大损失。继而说：'这几个屯子必须受到处分，处分的方法就是杀光、烧光，不然今后的治安是无法维持的。'大家都面面相觑，炭矿长久保说：'不应杀光、烧光，而应当找村子里通匪的主要人物进行处分。'小川激动地说：'我同意川上的意见。'日本警察署长未表示什么意见，但却并未惊慌。炭矿庶务科长及土

> 地系主任表现有些突然，但未发言。川上又问满洲国有没有意见，大家都看着夏宜，他卡巴卡巴眼睛很不安地说：‘我没啥意见。’最后川上说：‘我是守备队长，负有这个地区的治安责任，所以我决定这样做，以后有什么事我负责。如果谁不同意，今后发生什么事，谁就要负责。’会场再没发言的。川上说：‘都没意见，就这样决定！’日本人发言我翻译给夏宜，夏宜发言我翻译给日本人。”

以上是于庆级的供词。

在另一份材料中，于庆级供出，抚顺守备队长川上乘一辆轿车亲到屠杀现场指挥，同车去的还有小川和于庆级。

于庆级既参加了平顶山屠杀前的策划，又亲临屠杀现场，故而他的供词有一定的真实性。

血洗平顶山的主谋者为抚顺县守备队长、日本陆军大尉川上。

血洗平顶山距离抗日义勇军转移，仅十个小时。

平顶山惨案孑遗

王恩涛

伪满时，我家住在抚顺中和马路七町目，与方姓人家同住一个门号。那是一所门市房子，用木板隔成两间，两家各占一间，彼此声息相闻，是真正的近邻。

一天夜里，忽听得有人轻轻敲打临街的门板。母亲披衣起身去开门，见一大汉身背一个血迹斑斑的小姑娘，来找姓方的。方家忙把大汉迎进屋里，一阵嘁嘁喳喳低语声夹杂着呜咽声过后，仍然是死一般寂静的夜。

第二天一早，方家向我家解释说，半夜从乡下来了个亲戚，把一个小女孩背来治病。从这天起，方家多了个五六岁的女孩，名叫方淑荣。

几年过去，方淑荣也长大了，与我妹妹同岁，每天结伴上学，后来又一同考入护士学校。她慢慢地向我们透露了身世，原来她不姓方，家有父母、祖父，一家五口，务农为生，住在抚南平顶山村。她说："一天，村长通知全村人到牛奶房子下面去照相。全村人都出来了，等着照相。过了好大一会儿，鬼子兵把蒙着黑布的照相机揭开，便嘟嘟的响起来。大伙知道受骗了，蒙黑布的不是什么照相机，是机关枪。这时人乱了，跑的跑，逃的逃，喊的喊，骂的骂，我妈一手搂着我和弟弟倒下来，我爸爸也倒下了。只听见我妈说：'孩子，别动弹，千万一动也别动！'说完便不吱声了。我伏在母亲的胳膊下，感到脸上有温热的水滴，我心里明白是母亲的血。但我吓懵了，不敢睁眼看。不一会日本兵开始'库啦、库啦'地刺杀。天渐渐黑了，还下点小雨，等到除雨声外没有其他动静的时候，我才敢睁眼爬起来。我摇

了摇母亲,见母亲已经死了。爸爸、爷爷和小弟也都死了。前后左右都是死人,一大片。当时不知道怕,也不知道哭,见远远的有个灯亮,我便朝亮走去,好长时间才到了点灯的工棚。屋里矿工问我枪声是怎么回事?死多少人?这时我才哇哇地哭了,呜呜咽咽地说:'都死了。'我求矿工叔叔、大伯把我送到中和马路七町目我舅舅家,我跟我妈来舅舅家串过门,有个印象。一个好心叔叔,连夜把我背来。不敢说是平顶山的,所以跟舅舅姓,管舅舅叫爸爸,我起名叫方淑荣。”

以后我们两家各自搬迁,解放后有一次我见到方家的男孩,也就是方淑荣的哥哥(其实是表哥),告诉我说,方淑荣入了党,在银行工作,现在在云南省大理,家庭生活很幸福。

这位平顶山惨案的孑遗,是日寇屠杀中国和平居民的见证人。

郑孝胥“请假”内幕

冯月庵

“九一八”事变后,日本人在东北建伪满洲国。1932年,郑孝胥任所谓国务总理兼文教部总长。他本来是仰日人鼻息的汉奸,却与日本方面派来的伪国务院总务长官驹井德三有矛盾。于是以退为进,向溥仪递了辞呈。驹井德三是个老奸巨滑、心毒手狠的特务头子,他的任务就是监视溥仪和郑孝胥, 郑孝胥的下场自然是极可悲的。

现收藏在辽宁省档案馆的《溥仪私藏伪满秘档》,记载有当年郑孝胥辞职的始末。现摘录要点于下,以见其狗咬狗之一斑。

“九月三日,郑总理孝胥进见,面称:新国家成立已经半年, 国务院应办之事却未办好。现在武藤大将到任,正宜趁此一新耳目。恳准辞职,庶可打开局面。

“上谕:继任总理,一时难得其人。孝胥称:前至旅顺时,日军司令部本有以臧式毅为副总理之说,足见式毅人望甚好。今若以之继任,仍属相宜……。

“四日,郑孝胥令郑禹来府进见,声明请假十日。午后,驹井德三进见,面称:现值日本办理承认 (日本承认伪满洲国——编者)要紧时期,总理万不可以请假表示求退……。

“五日,驹井德三来府,行亲任式后进见,面称:顷往见郑总理,拟劝其打消辞意,照常办事,总理不见,可否恳上由电话告以往见之意。上允之。驹井又称:如果总理不允出来,请以阁员中之年高望重者,代行职务……。

“下午二时余,郑禹来府进见,面称:驹井两至其家,总理未见,驹井甚怒,谓似此放弃责任，我须报告军司令部，对于总理父子，皆须严重处理……适值郑禹来报告驹井发怒情形……五时外交总长谢介石来府进见，面称：本日国务会议驹井报告，总理现在请假十日，已回明执政，由军政部长张景惠代行职务等语。上谕：张景惠未奉明令，何能代行总理职务，此种举动，实属非法。臧式毅随后到府进见，亦报告张景惠代行事，上谕以予未认可……。

“适接郑禹报告，总理住宅为宪兵监视，不准出入，总理仍表示不能即行销假……筑紫劝说再三，孝胥坚执不允，筑紫已由约军司令部参谋副长冈村宁次来京，商议此事云云……。

“九日，郑孝胥进见，面称：昨见冈村等，力劝销假，势难再却，当已声明再出视事。以二十日为期，届时仍当求退。若驹井一时不去，到院暂不与之相见。若驹井届时他调，自己尚有考虑余地云云……。

“同日孝胥到院时，驹井先迎见郑禹，向之二鞠躬甚敬。谓禹云：‘前事请勿芥蒂’……驹井旋见总理二鞠躬，深表敬意。孝胥语文部次长许汝棻如此。并谓：‘吾此番战胜驹井矣。’

“翌日，内务处科长刘庆镗晤孝胥，云：‘此系第一次打仗，尚须打第二次仗。如届二十日期，驹井不去，仍须辞职。’又云：‘当

时驹井面请召郑垂回院，我面斥之，郑垂非汝所得请（语此时，并伸一指，作面斥状）。’”

这位满清遗老、溥仪宠臣、伪满洲国的“国务总理”愚蠢得可悲、可怜，亦复可笑。他竟自以为战胜了驹井德三，还想第二次战胜之，真是痴人说梦！事实证明，在溥仪被推上伪满“皇帝”之后不久，即1933年，郑孝胥就被撵下“总理”宝座，1938年死去，据说他死得不明不白。而他的死对头驹井德三，不仅没有他调，反而晋升为驻“满洲国”大使兼“皇帝陛下”的御用挂(监视溥仪公私生活的坐探)。至于那位未经溥仪认可的代总理张景惠，却由于驹井德三再三推荐，堂而皇之当上了“满洲国”的实任“国务总理”。

李季风戏弄日本特务

郁其文

东北沦陷时期，李季风以笔名季疯，推出《昙花一现》、《婚姻之路》、《夜》等三部长篇小说和杂文集《杂感之感》。他在作品里抨击日寇统治，宣传抗敌斗争，在东北青年读者中很有威望。

1941年末，日本特务在长春将李季风逮捕，由特高课的田中出面，对他严刑逼问，要他交代与中国共产党或国民党的组织关系。李决定与田中斗智，寻找机会逃脱。

再次审讯时，李季风诓称他认识共产党和国民党的地下工作领导人，但不知其姓名，每次接头都在茶馆，他答应领特务到茶馆捉人，但他这样蓬头垢面容易使人起疑。于是田中派了八个特务，把李季风带到大和旅馆，让他沐浴、理发，换上西装革履，以便充当诱饵。李在上二楼厕所时，就查看好了附近的地形和道路。晚间他假装睡熟，熬到半夜，身左身右的特务和守在二楼楼梯口的特务都已进入梦乡，李季风蹑手蹑脚地打开厕所窗户纵身跳下。待到特务醒来，他早已逃得无影无踪了。

李季风投奔到中共地下党员、作家田贲处，田贲安排他去本溪隐蔽。他却上四平街(今四平市)给长春的田中打了个电话，自称是四平宪兵队的“嘱托”(宪兵队的狗腿子)，说他在四平街火车站发现了李季风，希望田中火速派人前来缉捕，他在车站监视。

田中信以为真，立刻召集特务，乘摩托车急驶四平。李季风则登上北去的客车回到长春，看了看妻子和尚未见过面的一岁多的女儿。当田中等赶到四平车站，弄清挂电话者实为李季风本人时，方知中了调虎离山之计。待他们返回长春，扑向李季风妻子处，李已不知去向。

李季风因此被称作传奇人物。

龙斗虎饭

孙春麟

我在伪满新京(今长春)女子师道学校就读时,中日学生之间发生过一次“饭争”,就是由吃饭问题引起的斗争。

学校规定,在校的日本学生吃大米饭,中国学生吃高粱米饭。同样是本校的学生,同样享受助学金待遇,在同一食堂、同一餐桌,吃的却是两样饭,相形之下,中国学生实在难以忍受,于是起而抗争。先是绝食,继而罢课,但都无济于事,便去求助于炊事员。炊事员自然站在中国学生一边。他们向日伪校方提出:“学生一日三餐,我们做两样饭,炊具不够,炉灶不够,人手不够,厨房场地也不够,实难胜任,只好辞职,请校方另请高明。”这么一来,全校师生吃饭立刻成了大难题。校方无奈,只好妥协。从此中日学生都吃一样的饭食,要吃大米都吃大米,要吃高粱米便都吃高粱米。但日本人吃不惯高粱米,厨房便改做大米和高粱米混合饭。中国学生给这种饭起了个名字,叫“龙斗虎饭”。一语双关,既说明是混合饭,又说明是经过斗争得来的。

一件要案的审理始末

李正中

1942年冬，长春发生一起震动全东北的事件：一名日本警察，夜间被人捆绑在南关安全桥头电线杆上活活勒死了。当时日军挑起的太平洋战争正处于紧急关头，中国人民的抗日情绪日益高涨。案件发生后，市民奔走相告，拍手称快。日伪统治者则恼羞成怒，动用全市的警察来破案。在两三个月内，涉嫌入狱者多达数百人。经过轮番刑讯，最后将送“出荷粮”(公粮)的大车老板王本章等八人，以杀人罪移送新京地方检察厅，起诉到新京地方法院。

1943年3月，新京地方法院开庭公开审理此案。由于案情涉及“反满抗日”的政治问题，律师们不敢贸然为被告辩护，而当时诉讼程序又规定必须有律师出庭。经审判官请示司法主管部门，决定由四名在法院实习的法官临时担任被告辩护律师。他们是吕永清(日本早稻田大学毕业，现任吉林大学日本研究所教授)、满占鳌(现名满达人，新京法政大学毕业，现任兰州大学中文系教授)、梁肃戎(新京法政大学毕业，现任台湾“立法院院长”)、李正中(新京法政大学毕业，即本文作者)。

开庭之日，四名青年律师按事先详尽调查了解的材料，仗义执言。辩护词分四个部分：一、案情之矛盾，二、认定犯罪证据之不足，三、关于犯罪时间、地点、经过，被告供述互有出入，四、结论：应无罪判决。因是公开审判，在众目睽睽之下，审判官允许律师们验看了被告人等遭受拷打后的累累伤痕。

律师们根据充分的事实，把警察署的侦讯记录和检察官的公诉书驳斥得体无完肤。法院虽受到来自法庭外的各方面压力，仍不得不依法作出判决，宣告被告无罪释放。

开庭前夕，警方以为可稳操胜券，曾大肆赏赐"破案"有功人员，因而对此一判决异常愤怒，甚至公然向法院兴师问罪。当时的法律虽然虚有其表，也得维持这幅薄薄的面纱。判决生效，已不可挽回了。

宣判后不到半年，担任本案审判官的刘洁尘便被调离新京。辩护人之一梁肃戎，以参加地下抗日组织的罪名被捕，判刑入狱。

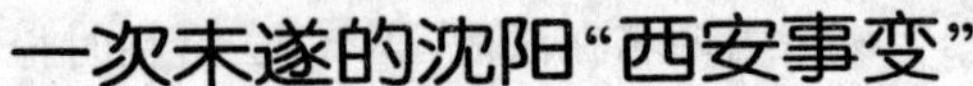

一次未遂的沈阳"西安事变"

郁其文

沈阳解放前夕，曾酝酿一次事关大局的兵谏，因其未遂，而鲜为人知。

国民党反动派统治沈阳时，共产党地下工作人员，有的打入军政部门担任要职，如秦祥征等，有的与东北元老建立了密切联系。1948年10月末，解放军进抵沈阳市郊。29日这天，东北元老王化一、赵毅、一三〇师师长王理寰、市第二守备队长秦祥征、五十三师师长许赓扬、警察分局局长胡圣一、商会会长卢广绩等在王化一家开会。王化一提出里应外合解放沈阳的四条意见，最后一条是："效法西安'双十二'事变，如蒋介石日内飞来沈阳，便用兵谏的方式扣蒋，让他答应和平谈判。如蒋不来，就把东北'剿总司令'卫立煌等首要分子扣起来，一网打尽。然后在电台宣布沈阳和平解放，迎接解放军入城。"

翌日午前9时，赵毅和"剿总"高参邱嵘到秦祥征处，说当日午后3时，卫立煌与沈阳城防司令周福成、市长董文琦等定于第二招待所开会，此为兵谏良机，当由邱嵘带领第二总队两个营前往举事。邱嵘早已倾向革命，愿前去找卫立煌谈判，争取其起义。卫如不允，便扣卫，迫使就范。秦祥征担心第二总队士兵无实战经验，提请中共地下工作某负责人去许赓扬师调一团人马接应。

商议已定，秦祥征为争取董文琦，在接到董邀他相会的电话后，立即见董，劝道："因您我关系密切，极盼您走上光明之路。共产党深知兄有专长，欢迎您起义。"董文琦面呈喜色，表示赞同。秦祥征过于轻信，透露了要搞一次沈阳"西安事变”的大计。秦回总部后，选调了精兵，午后4时进抵第二招待所附近时，得知董文琦已提前向卫立煌通报了兵谏机密，结果卫立煌率赵家骧、董文琦等大员仓皇奔向机场，乘机逃离了沈阳。

兵谏虽功亏一篑，但对动摇沈阳敌军军心与促进他们起义，仍起到一定的作用。东北“剿总司令”逃跑后，敌方群龙无首，陷入一片混乱。这时，上面提到的参加秘密会议的人员，已与解放军取得联系，因此，沈阳东、南、北三面解放军得以顺利入城，11月2日全市遂告解放。

清末奉天总兵左宝贵二三事

王世烈

光绪年间，北洋陆军将领左宝贵任奉天总兵。左宝贵字冠廷，回族，道光十七年(1837)生于山东费县一个贫苦农民家庭，光绪二十年(1894)在甲午战争中壮烈牺牲，享年五十七岁。

左宝贵为人豪爽，秉性宽厚，愿扶危济困，在边陲平乱、严惩赃官佞臣、为民除害、从严治军等方面，功勋卓著。他凭自己的才干，由一个普通士兵逐步晋升为翼长、千总、都司、游击、提督，以至总兵，是清军中难得的将才，深为民众所爱戴。

左氏驻沈二十年，做了很多好事，这里仅列举几件，以见他的为人：

据查，左宝贵的府邸设在当时奉天城外攘门(今小西门铁路医院西北侧)外。他军纪严明，爱民如子。有一次，他接报驻军中一名管带(相当于营长)，自恃属八旗中的黄旗，享有特权，便在光天化日之下私霸民女，为所欲为。左宝贵大怒，当即下令处斩，然后自己摘掉双眼顶戴花翎，脱了官服，到将军府请罪。

左宝贵还筹建了一处栖良所，明文规定：凡遭受迫害的各界妇女，可以逃到栖良所避难，一经跨过栖良所门前的石桥，便可得到保护，任何人不得过桥抓人，违者将受惩处。对来所的妇女可根据实际情况，安排适当的工作，让她们读书识字，学习各种手艺。愿意出嫁者，取保立据，方可婚配。这些措施，曾长期为民众所称道。

光绪十四年(1888)，奉天城南浑河水患成灾，百姓无家可归，无粮充饥。左宝贵便在老营驻地小西关附近设立施粥场，赈济灾民。一天，有人到左府告状，说施粥场的粥越来越稀，简直成了涮锅水。左宝贵遂微服私访，前去排队领粥，发现粥中果然米粒稀少，当即将粥碗摔在这个克扣粮食的施粥官脸上，并当众宣布撤职查办。

张之汉与《阎生笔歌》

王庆丰

甲午战争时，日军由辽东半岛的花园口登陆，陷金州城，欲向旅顺进犯。但山岭崎岖，路途生疏，想寻一当地居民作向导。附近群众为躲避日军，早已迁徙一空，独有塾师阎士开不忍离去。日军发现了这位老人，大喜过望，其头目先以重金引诱，阎不从，继而以刀枪胁迫，阎益发愤怒，痛骂敌人。因语言不通，遂铺纸挥笔，写出“宁作中华断头鬼，勿为倭奴屈膝人”等大义凛然的词句，书罢掷笔于地。日寇气急败坏，竟残暴地将阎的心肝剖出。阎痛骂不绝，壮烈牺牲。

阎士开宁死不屈的气节感动了很多同时代人，青年书生张之汉就是其中之一。张之汉字仙舫，沈阳城南十里河人。闻阎生慷慨就义，当即写下《阎生笔歌》一首。翌年初春，有某友来访，宿于张家。客主剪烛长谈，言及阎生之事，友人索原稿就灯下观之，吟诵仅及其半，不忍卒读，张遂将诗稿付之一炬，曰：“事已过去，何必令读之者伤心。”张之汉于清末充咨议局议员，民国建立后，历任奉天官地清丈局总办兼屯垦局局长、省实业厅厅长。他政务之暇，喜爱诗书绘画，其诗歌富有爱国情思，一时名擅辽沈文坛。1926

年，张因事赴金州，又想起阎生旧事，遍询当地故老，却很少有人知晓。这位年过花甲的老人颇有感触，归来以后，经过反复追忆，其旧稿还能记起一半，于是将《阎生笔歌》重写了一遍。其歌曰："……饮刃宁惜严颜头，振笔直伐常山舌，头可断，舌可抉，刃可蹈，笔可折，凛凛生气终不灭，吁嗟阎生古义烈！……阎生发冲敌酋笑，不通华语舌空掉，抽笔奋书忠义词，飞雪刀光迸出鞘，刀边骂敌怒裂眦，掷笔甘就刀头死，血肝攫出泣鬼神，淋漓血染山凹紫！……"

其时正值日本帝国主义虎视我东北，群情愤激，此诗一出，更加强了民众的爱国热忱。

林纾译《巴黎茶花女遗事》

林大成

光绪二十三年(1897)春，我的祖母刘琼病逝福州，祖父林纾十分悲痛。一天，他的好友王寿昌来访，纵谈世界文学发展形势。王早年曾留学法国，谈话中提到在法国风靡一时的仲马父子的小说，说大仲马有《三剑客》，以情节取胜；小仲马有《巴黎茶花女遗事》，以情感人，影响更大。王寿昌怂恿我祖父把《茶花女》译出问世，并自愿给他口述全书内容，由祖父执笔撰写。祖父考虑到翻译可使他缓解丧妻之痛，便应允了。

从此两个好友就不分寒暑，口述笔译，不觉两度春秋。一天，王寿昌高兴地走进我祖父的书房，把手中几卷新书往案上一放。原来两人两年心血的结晶已刻印成书，封面书签上印着祖父亲笔书写的刚劲行书《巴黎茶花女遗事》，第一页第一行刻着原作者的国籍和姓名“法小仲马”，旁边一行字是“侯官冷红生王寿昌译”（侯官即福州古称，冷红生系我祖父别号之一），第三行是出版年代：光绪二十五年己亥正月。

本书系请吴玉田镌刻，由友人出资印了二百部。当初只想分赠亲友欣赏，未料到读者互相抄借，广为流传，求书求版者也络绎前来，一时传为文坛佳话。

光绪二十五年以后，《巴黎茶花女遗事》经几个出版商翻刻印行，相继有了“玉情瑶怨馆”本以及广智书局、商务印书馆等不同的版本。

林纾爱憎分明

林大成

1915年，袁世凯准备称帝，于是极力笼络名流学者，供他驱遣，我祖父林纾也是预定的对象之一。为此，他指派内务部的官员携带玉版和金条，登门造访，希望祖父能为他撰写“劝进书”。祖父以“老病”为由，予以推辞。袁利诱不成，转

而施加压力。当年正月，祖父在大门上大书“畏天”二字，以示对抗。这两个字是祖父十六岁时，我太祖母对他的教导：“畏天而循分，如果违心，天理难容。”这几句话给了祖父一辈子影响，他的别号“畏庐”源出于此。他下定决心，如果袁世凯把他逼到“自计果不免者”的地步，他便“预服阿芙蓉（鸦片。——引用者）以往”，即以死来保持晚节。

但祖父对有才华的青年却是另一种态度。1919 年前后，某天下午，一位身材颀长的中年人，腋下夹着一束画卷，来到北京东城绒线胡同我祖父的寓所，自称姓齐名璜，流落京师，特来求助。祖父接过画卷，展开一头看了看，便向他颔首示意，让进书房，然后又把他的画一张张观赏过，说道：“我全买了。”齐璜说了自己的经历和抱负，祖父听毕，立即拿出几十块银元给他，说：“明天见报！”当时祖父除了在京师大学堂任教外，还兼任《平报》的编审和社论委员。

第二天，《平报》第四版副刊上，果然登出一篇推荐画坛新秀齐璜的文章，署名为林畏庐。

以上两件事，是从我父亲林珪那里听到的。

少年周恩来的模范作文

李仲元

1910年秋至1913年秋，周恩来随其伯父周贻赓客居沈阳，就读于奉天东关模范学校高等丁班。少年周恩来聪敏过人，勤奋好学，各科成绩优异，深得教师喜爱。他的国文课作文成绩尤为突出，经常被评为优等，作为模范作文在校内展示，供同学学习。据当年该校同学、现已九十八岁高龄的卢广绩先生回忆，周恩来的模范作文一经展示，同学便纷纷传抄，一时成为全校瞩目的人物。1912年，适逢东关模范学校建校二周年，国文课以《东关模范学校第二周年纪念日感言》命题作文，经教师们审定筛选出若干篇作文为优秀之作，周恩来的作文便在其中列为一等，教师批语："教不如此，不足以言教；学不如此，不足以言学；学校不如此，不足以言学校；文章不如此，不足以言文章。"不久，由奉天省教育厅举办"奉天省教育成绩展览会"，《感言》一文作为展览品展出，会后编辑出版《奉天教育品展览会国文成绩》一书，周恩来之作文即被选入。1915年，上海进步书局又将周恩来《感言》一文收入《学校国文成绩》一书中。

《感言》一文显示了少年周恩来已具有较熟

练的驾驭文字、抒发感情、表述意见的能力。全篇千余言,洋洋洒洒,起伏跌宕,层层深入,极为精彩可观。特别是文中提到:“注重道德教育,而辅之以实利美感, 更振之以军国民之精神”,以达到培养“完全国民”的目的。一个十四岁的少年,居然写出如此精密、气魄宏大、具有相当高深见解的文章,实在令人敬佩。

现将周恩来《东关模范学校第二周年纪念日感言》全文附录于后:

最可宝贵、最有价值、而又最触动同学诸君之种种感情者, 非我东关模范学校成立第二周年纪念之今日乎?

念四小时,一刻千金,拍掌欢呼,全校同庆,亦云盛矣。然余一霎时而怃然。回忆昔日改组成立时, 缔造之艰难, 气象之萧条,岁时再历,同学旧友,十存六七。抚今追昔,神为伤已。一霎时,余又欣然。睹今日校舍之宏,人才之盛,跄跄济济,肃肃雍雍;珥笔者纪盛事,观光者相劳慰,已足称一时之嘉会已。而一霎时,余更嗒然。夫创之既艰,后难为继。今年今日,进步逾于去年今日;明年今日之进步, 未审亦如今年之于去年否也。

嗟乎! 负此责任者谁乎? 其惟吾校校长、教员诸公已耳,其惟吾校全校诸同学已耳。余深爱此最可宝贵、最有价值之第二次纪念日,即不能不厚望我最可钦佩、最有学识之校长、教员诸公,更不能不厚责我最可危险、最有成就之全校诸同学也。

吾校司教育之诸公乎，诸公为国家造人才,当殚其聪明,尽其才力。求整顿宜重实际,务外观先察内容。勿自隳行检,以失人则效;勿铺张粉饰,以博我名誉;更勿投身政界党会,谋利私营,以纷扰其心志,而日事敷衍。校长为学生择良教材,教习为学生谋深造就,守师严道尊之旨,除嚣张浮躁之习。注重道德教育,而辅之以实利美感,更振之以军国民之精神。教育美满,校风纯正,则此纪念日乃可因之而永久。由第二周年，以至第三周年，而达于无穷期之周年者,实赖我司教育诸公之热心维持而已矣。

吾全校之诸同学乎,吾人何人,非即负将来国家责任之国民耶?此地何地,非即造就吾完全国民之学校耶?圣贤书籍,各种科学,何为?为吾深究而悉讨。师之口讲指画,友之朝观夕摩,何为?为吾相切而相劘,非即欲吾受完全教育成伟大人物，克负乎国家将来艰巨之责任耶?以将来如许之重负,基础于小学校三四年中,同学,同学,宜如何奋勉,始对之而不愧哉?一物不知,学者之耻。同学其博学乎?好问则裕,自用则小。同学其审问乎?思之思之,鬼神通之。差以毫厘,谬之千里。同学其慎思而明辨乎?学矣,问矣,思辨矣,而犹或浅尝辄止,见异思迁，躐等以求进，自是而非人焉。吾恐同学之智识亦无由新，道德亦无由固，而欲丛人才、蔚国器，难矣。如是则书不将虚此读，业不将虚此习，师不将虚此教诲，友不将虚此切蹉，吾模范学校不将虚此造就，而两周年之光阴不又将虚此度过也哉！惟望吾全校诸同学惕然自警而已矣。

余于此纪念日中抒此谬妄。其以前所云者，为吾校司教育诸公望，其以后所云者，为同学诸人勉。韪我罪我，所弗计也。然而去年今日往矣，今年今日，未往而已往矣；明年今日，他年今日，余将拭目而观吾东关之模范学校，更观吾全校同学之学生。

少年周恩来在沈阳改村名

庞敏丽

1910年，周恩来在沈阳读书期间的首次暑假，随同学郭宝真来到位于沈阳西南三十五公里的苏家屯天赐堡村(今永乐村)度假。

一天，周恩来与同学在村中信步漫谈，不知不觉走到一座古庙旁，见庙外有一口大钟，上面铸有村名“天赐堡”三字。周恩来问及村名的由来，原来是清顺治八年(1651)，有山东刘、李、郭、师四姓移民来此落户，取“天官赐福”中的两字，命名为“天赐堡”。周恩来听后，环顾古庙四周，但见花草丛生，有个荷花塘，塘水清澈，荷花盛开，便对同学说道：“人间生活所需，不能等待上天恩赐，要用劳动去获得。”于是他提出不如把“天赐堡”改为“甜水堡”，让人们永远喝到甜水。随后，周恩来联合几名同学向当地提议，并向县里请求，经沈阳县核准，将“天赐堡”改为“甜水堡”。

少年周恩来改诗言志

庞敏丽

1910年，就读于奉天东关模范学校的周恩来，寒假时随同学何天章、何履祯，到南郊魏家楼子村（今苏家屯区内）何履祯的祖父何殿甲老人家小住。一天，周恩来听殿甲老人在书房中含泪吟诵条幅上书写的杜甫《春望》诗：“国破山河在，城春草木深。感时花溅泪，恨别鸟惊心。烽火连三月，家书抵万金。白头搔更短，浑欲不胜簪。”那饱含爱国激情的吟诵，深深地打动了少年周恩来的心。他当即俯身提笔，就《春望》改写出一首《村望》诗：“国破山河在，村殊草木深。感时勿落泪，誓教寇惊心。烽火连三月，捷书抵万金。白头休志短，患除贺更新。”何老读罢，连连称奇。又一天，周恩来又闻何老在书房悲壮地吟

诵陆游《示儿》诗："死去原知万事空，但悲不见九州同。王师北定中原日，家祭毋忘告乃翁。"受诗情感染而激动不已的周恩来，当即依陆诗原韵，送给老人一首："战火洗劫万室空，吾侪争见九州同。华师尽扫列强日，捷报飞传告鳌翁。"老人字鳌峰，知道这首诗是告慰他的，深受感动地连说："倘人人才志若此，何愁中国不兴。壮哉斯言也！壮哉斯言也！"

何殿甲赠少年周恩来诗文

李仲元

周恩来在奉天东关模范学校读书期间，每逢春秋佳日，常常到郊区同学家做客，观览山川风光，熟悉风土人情，增长见识，了解社会。与同班何履祯感情尤为深厚，交往更为密切。何家住沈城南魏家楼子村，村边有汉代古城址，又是日俄战争时的战场。周恩来多次到何家小住，何履祯祖父何殿甲老先生是当地有名的塾师，对这位待人有礼、举止大方的小客人，分外喜爱，并与之说文讲史。1913年秋，周恩来离沈南归，到何家辞行。长夜深谈之后，殿甲老人特赋诗五首，撰文一篇相赠。诗为七言绝句，题《赠周恩来南归诗》，词调虽不甚清雅，韵律也有失误之处，但感情真挚，颇多惜别、勉祝之语。《赠周恩来文》寥寥几百字，却对他寄予很高希望，以非常之人相看，用苏秦拜相、班超封侯等事例为勉。虽未免有些陈旧，但却说明老人对少年周恩来的器重和赏识。事实证明，老人毕竟是独具慧眼的。

诗文收在何殿甲老人的诗文杂稿集中，稿本利用竹纸账本，由老人亲笔行楷抄录。多年以来，其后人一直珍重保藏，现已捐献沈阳周恩来少年读书纪念馆收存。殿甲老人诗文附录于下：

赠周恩来南归诗

辽东江北路迢遥，
两地结成义气交。
沈水饯别同洒泪，
邮传书信莫迟捎。

同校同班又同盟，
以文会友话三更。
焦桐入听谁知己，
除却周生即吕生。
君欲南旋怅别离，
不知后会在何期。
倘能共到凌烟阁，
自有言欢聚首时。

读书只在性情坚，
莫学浮夸那少年。

今日南归无物赠，
略将诗句作金钱。

人生海角与天涯，
好似飞鸿印泥沙。
倏尔南归由塞北，
飘萍无定宦为家。

赠周恩来文

能为非常之人，必有非常之才。有非常之才，始成非常之业。彼季子刺股，后为六国相；司马题桥，终能乘高车；班超投笔，果封万户侯；张良坚忍，卒成汉世业。如四君者，岂不毅然大丈夫哉！自古及今，英雄豪杰，不大困者不大亨，能冒险者方出险。此定理也。现吾人读书，虽不敢言囊称饶裕，亦不如家索清贫，衣食省资。备金不用，正男子有为之日，学生造诣之时，较诸挂角读书，牧豕听经，凿壁偷光，映雪读书，当何如也？义孙周生，与小孙有朋友之义，同堂为学，南北距五千里之遥，开班萃一堂之上，善则相劝，过则相规。交非浮泛，谊切同胞。今值南旋，洒泪而别。后会之期，在何时也？吾无黄金万镒，锱铢千提，馈贶周生，仅具片语，以作纪念云尔。

沈阳报界第一位女主编王维祺

王庆丰　黄禹篇　王维范　庞敏丽

《醒时报》是沈阳较早的报纸之一，1909年2月21日创刊于营口，后迁来沈阳。该报初名《醒时白话报》，后改名《醒时报》。它以一般市民读者为对象，故使用语体文，并以“改良社会，开通民智，提倡教育，振兴实业”为办报宗旨，东北各大城市以及北京都设有分销处，在群众中颇有影响。该报是回族人张兆麟创办的，从1914年起由其儿媳王维祺主持笔政。这年9月，日本报界在大连召开记者大会，邀请东三省的中国记者参加。二十二岁的王维祺亦应邀出席，并登台讲演。由于日本报界还从来没有过女主编，王维祺的出现十分引人注目。王通英语、日语，也擅长书法。在旅顺参观一所女子中学时，该校校长捧出笔砚，要求留墨纪念。她挥笔疾书了“敏于事”三个遒劲大字，围观的人都称赞不已。

王维祺(亦署名张维祺)，原名王代耕，河北昌平县人，同张兆麟长子订婚后来到沈阳，肄业于奉天女子师范学校。《醒时报》是张氏自家经营的，不接受官府津贴，因此经费拮据，需要全家上阵。王维祺既是主编，又是主要撰稿者，并热心为社会服务。1915年，教育厅在省城举办女子演说会,特聘请王为大会主席,她当即表示:“为提高妇女地位,以期增进妇女权利,本人无论怎样繁忙,也要抽出时间为大家尽义务。”她每次都按时到会,她的讲演很能吸引听众,使妇女们大开眼界,激发了她们的求知热情。

王维祺善用白话行文,格律诗也写得很好。兹录其1933年写的《述怀》四首如下:

一

生也情多恨亦多,爱河深处起风波。
良缘美满天应妒,同向凄风泣奈何。

二

无端惨剧演天伦,憔悴灵华负好春。
十载含愁君莫憾,不经离合不情真。

三

生不相逢死不休,可知红泪咽心头?
凭谁为我堆白骨,静锁春风燕子楼。

四

肝肠断后何能续,点点斑斑血泪枯。
今日园中千万竹,不知也有泪痕无?

短跑名将刘长春

王维范　黄禹篇

刘长春是大连平岛人，东北大学体育科的高才生，在旧中国曾以短跑驰誉体坛。

1925年5月，他在第四届华北运动会上获得百米、二百米和四百米三项冠军。百米成绩为10.8秒，若置之当时世运纪录中，当可排在奥运会的前六名。同年10月，东大举办“中日德三国田径对抗赛”，参赛强手如林，刘长春竟抢在日本名将吉冈隆德之前，可惜与德国厄尔特拉比尔相比，以一臂之差而屈居第二。但他毕竟为中国争了光。

1930年4月，杭州举行第四届全运会。辽宁省团体田径总分居首，刘长春获得个人总分第一名。大会因其成绩突出，特将通往运动场的马路改名为“长春路”，以志其功。

1931年春，第五届华北运动会在济南举行。辽宁省团体田径总分名列第一，刘长春又获得短跑三项冠军。

刘长春一生的战绩中，最为人称颂的是他在奥运会的一次壮举。“九一八”事变后，他随校迁往北平，次年，即1932年7月，第十届奥运会在美国洛杉矶开幕，我国亦在被邀之列。当时，

南京政府正处于焦头烂额的境地，无力派运动员赴会，国人莫不为之扼腕。在此困难局势下，张学良将军毅然出资八千元邀请刘长春与东大教授宋君复两人作为代表团，赴美参赛。入场式上，除教练一人外，高举我国国旗的只有一个刘长春，而其他各国代表团的阵营则强得多。但作为中国四万万同胞惟一使者的刘长春，其形象之高大却是他们所不能比拟的。另一方面，一个泱泱大国只能派出一名运动员，当时中国之惨境，也就可想而知了！

在1933年第五届全运会上，刘长春创造了百米10.8秒的全国新纪录，此项纪录一直保持了二十五年，到新中国成立十周年大庆前夕，才被新一代健儿打破。

金梁首译《满文老档》

佟 悦

《满文老档》系记录清太祖、太宗朝史事之珍贵文献，清入关后由沈阳携往北京。原档凡四十册，皆以无圈点老满文书写。乾隆中，帝命以新、老满文各重缮二份，一存京师宫中，一送盛京故宫崇谟阁恭贮。此档一向秘藏内府，世人无缘得窥。最早将其译为汉文传世者，是满洲名士金梁。

崇谟阁位于盛京宫殿大内宫阙西所后部，乾隆四十五年老档由京运至后，除内务府员役定期抖晾外，他人无从接触。金梁于清末主管盛京内务府事物，藉职权之便得阅阁中藏品。因他对有关国史掌故文献颇注意，故于全部以满文缮写之秘档尤感兴趣，有意将其译为汉文，以广流传。然此举非获朝廷允许难以实行，故真正付诸实施当在民国初年。

1912年，日人内藤虎次郎第二次入奉天故宫，以搜集史料为名，将崇谟阁老档全部盗拍，携之东归翻译研究。此事金梁不会不知，故亦促其抓紧汉译工作。据其自述：原曾将老档录出副本，至1916年，延请满汉学者十余人参与翻译，二载始脱稿，分装百册。从中摘录若干段，分上下两编出版，即传世之《满文老档秘录》一书，实为汉译老档选刊本，尚不是全帙二十分之一。其余译稿后散佚。北京故宫博物院张溥泉于沈阳书肆购得其中二十六册，以《汉译满洲老档拾零》之名，连载于1933—1935年之《故宫周刊》上。此二种老档译本虽非全璧，且有失核之处，但数十年来研究清史、满文史学者均目为重要史料，主持汉译事之金梁，实功不可没。

金梁与皇宫博物馆

佟 悦

金梁，满族瓜尔佳氏，字息侯，光绪甲辰(1904)进士，1908年任奉天旗务处总办兼司典守故宫之责。

盛京故宫为清代三大皇家文物宝库之一，收贮古瓷、书画、宫廷陈设品等逾十万件。金梁于清点整理之余，有意将此处精品择地陈列，以供观赏。遂先于瓷器库内择优置放整齐，以满足部分莅奉中外人士之要求，颇获赞誉。其时兴办博物馆之风已由欧美东渐，金梁思忖，故宫藏品精而且多，如用以创办博物馆，既合时尚，又可免藏品外流，诚为善举。乃多方奔走，着手筹措，并得东三省总督锡良赞许。宣统二年八月，锡良具折呈摄政王，建议于盛京故宫文溯阁前空地创建皇室博览馆，请降旨允行。此折便出自金梁手笔，但朝廷并未从其议。不久，金梁调离，此事再无人过问。

时隔二十年，金梁重返故宫，终于得偿夙愿。1926年，奉天省政府决定筹建东三省博物馆，初以仇玉珽董其事，历时二载，进展甚微。省政府遂于1928年冬，以教育厅长、沈阳市长等人重组筹备委员会，几经斟酌，最后选中金梁为委员长。金接到省长翟文选聘书后,欣然赴任。然此时故宫所藏珍品,大部已于民初运往北京,余者寥寥。金梁历时半月,将旧藏銮驾、祭器、乐器、文具、武备等于崇政殿及清宁宫等处陈列就绪。1929年4月,东三省博物馆正式开放,昔日宫阙禁地,变成一个文化小区。此后直至“九一八”事变爆发,金梁均在此主持馆务,其间,曾增设陈列室,制订章程等,可谓尽心竭力,成绩卓然,值得吾人怀念。

杨令茀摹绘历代帝王像

佟　悦

现代著名女画家杨令茀(1887—1978),字清如,江苏无锡人。师从吴观岱、陈衡恪、金城、齐璜诸名家,青年时即知名于画坛。曾几度游历欧美举办画展,晚年定居美国,遗嘱将作品百余幅捐赠北京故宫博物院。

1928年春,杨女士由海外归来,随即至沈阳任教。时设于故宫内之东三省博物馆筹办不久,苦于展品不丰,无法正式开放,得知此讯,欲邀杨女士为之作画,以供陈列。遂由奉天省省长莫德惠委托地方名流袁金铠出面相商,旋议定由杨令茀赴北京故宫为博物馆摹绘历代帝后像,纸张、颜料、装裱等均自理,每幅价现洋八十元,

年内交画付款。杨即赴京，于悬挂历代帝后像之文华殿(时属古物陈列所)照摹。至是年(1928)5月，已绘成数十幅运回沈阳。东三省博物馆于故宫陈列室展出，自5月5日起共举办六日。是为盛京皇宫建立三百余年来首次对公众开放，加之世人欲一睹历代帝后风采和杨女士画艺，故观者甚为踊跃，累计达十万人次之多。惜展出不数日，因奉军被蒋介石战败、退回沈阳入踞故宫而中辍。至是年底，杨令茀共完成帝后像九十六幅，上起伏羲，下迄明清，皆摹自清宫旧藏。这批画像成为日后东三省博物馆之主要展品。1929年该馆正式开放后，观众更是络绎不绝。

我的启蒙老师李文信先生

张秀材

已故辽宁省博物馆馆长李文信先生，字公符，友人戏称公凫。二十年代曾在吉林省永吉县立中等学校任教，与高亨、沈立峰、王荩臣等知名教师，分别担任我所在班级的美术、国文、体育等课程。

先生不独擅长国画、西洋画，书法亦苍劲有力。惜乎余当时家贫，无力购置书法绘画工具，纸张多两面使用。除必须送交之作业外，不能任意挥毫。是以迄今书画两无成，深负先生之厚望！

先生从教之余，尚好考古。每当假日，辄携妻孥去郊外，攀援于崖壁之间，根据史料按图索骥，对新旧石器时代及肃慎、高句丽的遗址遗物，多所发现，此乃先生后来专门从事考古之嚆矢也。

先生以微薄之束脩，养家糊口，捉襟见肘。当时(六十年前)能入中学读书者多宦门富家子弟，彼辈对清贫之师长及寒苦之同窗，同情者少，鄙视者多。1930年冬余初中毕业时，先生为留纪念，赠我线装《渔洋精华录》一全函，并为我的诗歌习作结集绘制彩色封面，题名《春芽》(其中作品多在当年上海《学生文艺丛刊》发表)。

学校中顽劣富家子弟，竟讥讽之曰："穷小子教师与穷小子学生要好，可算是珠联璧合！"先生闻之不以为愠，余则几欲诉之于拳。

今先生虽谢世多年，而文章道德蜚声遐迩。余尚视息人间，年近八旬，虽无建树，却依然滥竽士林中。遥想当年讥讽先生与余之诸恶少，恐皆湮没无闻，相继消逝于荒烟蔓草间矣！

空军"天神"高志航

王庆丰

高志航，原名高铭久，通化县人。十三岁时到沈阳求学，1924年中学毕业后，考入沈阳东北陆军军官教育班。这年年底,东北航空处选送第二批赴法学习航空技术的学员，经教育长郭松龄推荐,高志航入选,1925年赴法。先后留学于莫拉纳航校和伊斯特陆军航校，并在空军团队中实习。两年中,他把全部时间和精力放在学习上，连世界名城巴黎也未及一睹，飞行成绩优异。1927年归国,任东北空军飞鹰支队少尉飞行员,驻扎在现在的东塔机场。

1929年，高志航任东北航空学校教员。这时,国家从德国买进一批飞机,命他试飞。降落时,飞机突然发生故障,他左腿骨折断,被送进南满医院。日本驻奉天特务机关长亲自到医院媒孽,怕高志航再飞上蓝天,对日本帝国不利。于是日本医生一会儿说用象牙接补，一会儿又提出截肢,拖延两个月才把腿骨接上,却是弯曲的,一瘸一拐的,走路尚且困难,何谈上蓝天?后来由他俄籍妻子嘎拉尔女士找哈尔滨一位俄医,重新断骨,矫正弯度,再给接上,但左腿却短了一分,只得加厚鞋底来补救。回到航校,有的领导认为他已不能再飞行,但他坚持要飞。张学良将军亲自去验看,他驾起银鹰冲上蓝天,表演了许多高难动作,得到张将军的表彰,当场奖赏他一块印有自己头像的怀表。后来高志航晋升为少校,被任命为飞鹰支队队长。

"九一八"事变当晚,他轮休,外宿于商埠地的家中。翌日清晨,听到外面有断续的枪声,他出门一看,见通往城内的大街上,有一队队荷枪

实弹的日寇疾行奔走。高志航担心飞机落入敌人之手，便急忙从小巷奔向机场，但受阻于小河沿。在折回的路上，听到了日寇已占领沈阳全城的悲痛消息。回到家中，他立刻打发父母兄弟姊妹回原籍，自己改装易服，入关南下了。

1937 年 8 月 13 日，淞沪抗战起，次日敌寇出动大批飞机空袭杭州。高志航率队奋起迎敌，以六比零的战绩首战告捷，其后又多次打击敌人，被誉为中国空军“天神”。

大约在 1937 年 11 月间，敌机袭周家口，高志航因来不及起飞，不幸被炸身亡，被追赠为少将，时年三十岁。

金毓黻先生的《遣怀》诗

朱子方

久处樊笼里，忧劳已不胜。
光阴如过客，书卷似良朋。
渺渺天难问，啾啾鸟欲应。
参禅成独悟，学作面墙僧。

金毓黻（1887—1962）先生字静庵，别号千华山民，辽宁省辽阳县人。东北大学毕业，国学大师黄侃教授的高足，著名的历史学家。余曾立其门墙，故略知其为人。1931 年“九一八”事变时，先生任辽宁省政府委员兼教育厅长。日军侵

占沈阳后即遭幽禁，失去行动自由，“非便溺不得出室门一步”。敌人屡以高官厚禄相诱，均遭拒绝。这首《遣怀》诗，就是他在幽禁中写成的。当时既伤国难，又思念老母，“终日枯坐”，“忧心如焚”。问天天渺渺，啾啾鸟语，似解人情。为了排除精神苦楚，于“习字之外，只可参禅”，以书为友。诗中“书卷似良朋”一句，实含有丰富内容。先生不但读书而且著书，据《静晤室日记》所记，幽禁期间所读之书甚多，读后写笔记，以议论原著得失及有关问题。如读《文选》，论各家诗文之短长；读《新唐书》，论修史方法之演变；读《五代史》，记述晋末帝被契丹掳至黄龙府经行里程。其后，“书不敷读，为消遣时光，作《文选篇目、作者统计表》”及《易传韵表》。又作《尺蠖生传》以自况，文中有云：“读书自娱，别无所求，与世隔绝，思亲不已。”其文看似解嘲，实为囚居生活之自我写照。继又效“周文王拘而演《周易》”之义，“发愿撰写《渤海国志长编》，誓于三阅月内草成”。11 月 18 日动笔，“日为常课”，至 12 月 20 日获释之前已粗略草成。后又经过修改补充，增加了实地考察等多项内容，这就是著名于世的、为研究东北史者所必读的《渤海国志长编》。

金毓黻脱樊笼

朱子方

先师金毓黻先生遭日军关押凡三月，保释后又改为在外监禁，不许他往。先生屡思脱逃，然以老母在堂，不忍远离，而且禁网太密，苦于无机可乘，乃闭门著述，以待时机。

先生困居樊笼四年，编著《渤海国志长编》、《辽陵石刻集录》、《辽海丛书》、《奉天通志》等书多种，皆有关东北乡邦文献者。尤以《辽海丛书》一编，收书八十三种，多达四百余卷，皆选善本、孤本，并作《总目提要》，介绍内容，以便读者。其有散佚不存者，复为辑录，如金代文学名家王庭筠之文集，久已散佚，先生为之辑成《黄华集》八卷，其中除诗文集外，还收其《家集》、《记事》、《题识》、《杂记》和《年谱》，凡有关王氏之史迹，无一遗漏。再如《大元一统志》，不仅收其《残本》，又作《辑本》、《考证》及《附录》，凡有关《大元一统志》之记载，均网罗其中。是以先生纂成之上述诸书，对研究东北史地文化，嘉惠后学者甚巨。时先生在学术界之声望已高，日本学者前来造访者颇多，日军有见于此，禁网稍弛。先生既可离省垣他往，乃首先访日，搜求古书，以充实上述著作；继又与日本考古学家池内宏等共

同发掘渤海上京城遗址；嗣又到辽、吉、黑各市县及热河省之承德、赤峰、乌丹、大明、朝阳等历史名城，逐一进行考察。凡到一地，首先查阅县志，访问遗老；其次则参观塔寺，寻觅碑刻，勘查史迹，搜集出土文物，能抄者抄，能拓者拓，并一一记之于日记。盖先生欲远行，而又眷恋乡邦河山，考察固为治史之资，亦为爱国心，恋乡情之所驱使也。为搜集古书遗编，先生曾三访日本，遍莅京都、东京各大图书馆，采获颇多。尤其是第三次访日，实为远行做准备。事先向沈阳日领事馆请妥护照，准其赴日留学二年，故得由安东(今丹东)出境，到达东京。时先生有两子客居日本，长衡在京都，长佑在东京，女儿淑君随侍左右。在日三月，从容准备远行。及准备就绪，先生一则感到“此行天涯漂泊，行踪无定”，有些惆怅；一则又为行将脱离樊笼，深感愉快。但当时不便明言，而借总结在日读书之乐以明其心境说：“两阅月来，能屏绝世俗酬酢，心志专一，日与典籍为伍，诚为人生难得之乐事，亦有生以来所罕见之愉快。”先是，先生与长佑定计，买船票两张，一用长佑名，一用先生化名。长佑于东京上船，先生则由长衡陪同，由京都至大阪上船。1936 年 7 月 10 日夜，先生终于登上加拿大皇后号轮船，直航上海，14 日安然抵达。于是脱离四年多的樊笼生活，回到祖国怀抱。旋经蔡孑民、傅孟真等师友推荐，到南京中央大学任教，主讲东北史，开始了杏坛绛帐的新生活。

我的老师陈之佛

朱朴存

陈之佛教授(1896—1962),号雪翁,浙江慈溪人。早年留学日本东京美术学校(现东京艺术大学),回国后,历任上海、广州、南京各大专院校教授,国立艺专校长,为我国工艺美术教育奠基人之一。其工笔花鸟画之意近旨远,其艺术理论之博大精深,其修养之厚,著述之丰,早已碑在人口,誉满艺林。

我国艺术,首重人品。先生常教我辈:"士先器识而后文艺","德成而上,艺成而下"。先生亦本此而行事。1943 年,先生家住重庆沙坪坝,赴国立艺专上班时,须过嘉陵江后徒步六七里。学校为先生备有专用"滑竿",但先生安步当车,宁愿爬峭崖,登石级,力夫每每肩空舆随行。先生谓吾:"不忍闻其邪许之声也!"先生画幅常钤有"心即是佛"印章,从中亦可看到先生一颗仁爱之心。

抗战时期,先生流寓重庆,名其居曰"流憩庐",此盖先生流离憩居之意。其卧室兼画室壁上多贴有先生手书前贤立身、处世、为学之名言警句以自励,如"夫仁者,己欲立而立人,己欲达而达人"、"要求人生美化,必先求人心净化"等等。

1940年，徐悲鸿先生赴印度前夕，赠我“忠恕”二字横披一帧，先生见而颔首。当时学者仁人之心，原有不少相通之处也。

1940年仲春某日，我陪同先生自沙坪坝去磁器口途中，见有一双长尾绶带鸟飞山麓间。先生即跟踪观察，穿丛树，跨小溪，攀岩石，喘息如吼，乃对我笑曰：画家创作，物象体察，必入精入微。其一丝不苟也如此。

我所认识的向达先生

李　浴

向达，字觉明，以其渊博学识，多方面成就，特别是对中西交通史与敦煌学的贡献，驰誉中外。这里仅就我在敦煌艺术研究所和他相处的日子里，谈一点往事。

先生自1935年至1938年的三年时间里，在伦敦、巴黎及柏林，潜心阅读并抄录和拍摄被劫走的石室卷子和绘画。然后带着几百万字的资料回国，写出一些有关文章，名噪一时。1941年受当时中央研究院历史语言研究所之邀，去敦煌莫高窟考察。这次考察对于1943年敦煌艺术研究所之创建和敦煌艺术之研究，起到积极促进的作用。此行后，向达先生就石窟艺术及其现状，写了一篇《论敦煌千佛洞的管理研究以及其他连带的几个问题》，发表于重庆《大公报》，文前有当时研究院院长傅斯年的按语。文章涉及的问题很多。首先提出敦煌千佛洞应收归国有，这无异是要求成立敦煌艺术研究所的有力呼吁。其次又指出临摹壁画切不可随意剥离，有损原迹。这都是很有价值的意见。

1943年，向达先生以西北科学考察团历史考古组组长身份，第二次到敦煌考察，住在研究所为研究人员新建的平房内，与我们这些年轻人为邻。当时我负有兼作石窟艺术调查研究的任务，在所内资料奇缺的情形下，向达先生和副组长夏鼐、组员阎文儒的到来，对于我真是天赐良师。夏、阎二位先生常出外作田野考古，向达先生在所里的时间较多，我向他请教的机会也较多，这才使我真正体会到先生的品德学识以及好学不厌、诲人不倦的可贵精神，和为了满足旁人研究所需，绝不吝惜自己珍藏图书的学者之风。正如郑天挺先生在《向达先生纪念论文集》序中所说的那样："先生为人虽然严肃持重，不苟言笑，但也是平易近人、谦恭礼让和蔼可亲的。"他对我们的研究工作十分重视与关怀，一再阐述临摹必须严格忠于原迹的主张，经常带我进洞对照壁画看题记，察残迹，把自己的著述和有关文章供我们阅读和抄录，并指点出何者最重要。两年间我抄录了他的《西征小记》、《莫高榆林二窟杂考》、《评张大千近著二种》和他手抄的《瓜沙曹氏年表》、《补唐书张义潮传》等数

十篇。在他的文章和为我的《莫高窟》碑拓本写的跋文，以及后来发表的《国立敦煌艺术研究所发现六朝残经》、《记敦煌出六朝婆罗谜字因缘经幢残石》等论文中，都可以看出先生对敦煌艺术研究所作的贡献。我也正是在他的耳提面命下，才写出了《莫高窟内容之调查》及榆林、麦积山、龙门、巩县等石窟调查报告，这对于以后我的美术史教学与研究工作，也起过重要作用和深远影响。向达先生是我永远不能忘怀的一位好老师。

赵太侔和俞珊

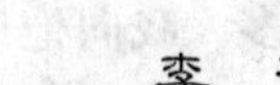

李　浴

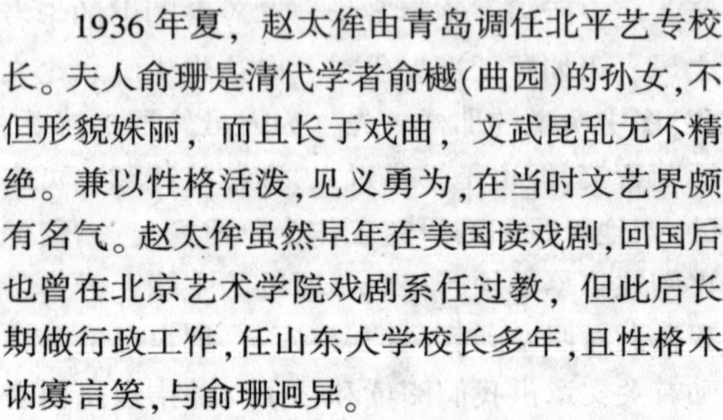

1936年夏，赵太侔由青岛调任北平艺专校长。夫人俞珊是清代学者俞樾(曲园)的孙女，不但形貌姝丽，而且长于戏曲，文武昆乱无不精绝。兼以性格活泼，见义勇为，在当时文艺界颇有名气。赵太侔虽然早年在美国读戏剧，回国后也曾在北京艺术学院戏剧系任过教，但此后长期做行政工作，任山东大学校长多年，且性格木讷寡言笑，与俞珊迥异。

自赵太侔长北平艺专后，学校之戏剧活动颇见活跃，素常有京剧和昆曲学习课(每周一个晚上)，期末则有演出活动。记得当年冬天在学校演出时，同学与俞珊同台，国画大师溥儒（心畬）也为之弹琵琶伴奏，俞演得精彩动人，已非一般。1937年暑假前，为毕业班印刷同学录，俞珊又正式在长安戏院与奚啸伯义演《红鬃烈马》，使整个剧场为之轰动。“七七”事变后，赵太侔带领一部分师生撤出北平，到湖南沅陵安校。为了宣传抗战，俞珊又主演了一出新编京剧《新雁门关》，更是轰动了整个沅陵城。连校长赵太侔这位笑比黄河清的人，观看时也发出了几次由衷的笑声。俞珊在戏剧上功力颇深，不但扮相秀丽，双眸传神，而且唱念做打均佳，完全可以和当时名伶媲美，如果下海一定是一位有名的青衣花旦角色。也不知她自己的门第世族观念，还是赵太侔的地位观念在支配她，她不但不能像红豆馆主（溥侗）、汪笑侬以及言菊朋那样成为京剧界名角或票友红人，甚至演出的次数也极有限，这恐怕也是使他们夫妻感情日渐淡化的原因。记得1939年在重庆，我和一位同学到他们家去拜访，那时国立杭州艺专和北平艺专已合并为国立艺专，赵太侔已出任教育部参事。俞珊毫不掩饰地对我们说：“你们看看你们这个校长，真像一个木头人一样，一点趣味都没有！”已经看得出，他们夫妻在性格和志趣上不一致的趋势，此后不久双方果然宣告感情破裂，劳燕分飞了。

滕固和他的一首抗战诗

李　浴

滕固(1901—1941)字若渠,江苏宝山人。早年留学日本,后去柏林大学学习,获哲学博士学位。曾任国民政府行政院参事兼故宫博物院常务委员,中央大学教授。1938年,国立杭州艺专与北平艺专合并为国立艺专后,首任校长。他博学多识,对于考古与美术史论多有创见。译有《先史考古学方法论》,是中国考古学方面较早的一本基础书。所著《中国美术小史》与《唐宋绘画史》虽较简略,而影响极大,因独具创见卓识为学术界所称道。任职国立艺专校长期间,通过课堂教学和校园演剧活动,加强抗日宣传。原学校剧团由李朴园教授和邱玺先生兼职领导,滕固又新聘专家吴铁翼来校与李、邱合作。1938年暑期,更派长于演剧的毕业生九人,去衡山学生集训队辅导抗日宣传工作。当时艺专在沅陵,沅陵行署的大壁画(后因学校南迁而中止)和沅陵公园中的宣传画,都是学生们画的。这年冬季,学校迁往昆明,校长作诗曰:“抗战经秋又半年,军容民气壮于前。学生亦是提戈士,南北奔驰路万千。”这首诗是滕固自况,亦是鼓励学生的口号,于此可见其爱国抗敌的热忱。

迁校时，以研究生李霖灿（现在台湾，曾任台湾故宫博物院副院长，著述甚多）为首的七名学生，组织了一个步行宣传团。滕校长大加赞许，加倍发给路费，乘汽车者十六元，步行团每人三十二元，并请沅陵行署发一公文护照，以利沿途进行工作。全校师生，有为之担忧者，有为之壮行者。因为当时湘黔公路很不太平，明暗之匪徒时有出没，抢劫杀人之事时有发生。几名二十岁左右的青年学生，徒步宣传抗日，自然会引起师生们的震惊，但滕校长却非常支持。邱玺先生特为步行团绘制了团徽。于是一行七人，身背宣传品、画具与行囊上路，沿途开展览会，画壁画，进行宣传。确也遇到一些惊险的场面，最终均安然度过，平安到达昆明新校址。我是七名步行者中的一员，收获之大亲有体会。事隔五十年，记忆犹新。

我所认识的董希文教授

李　浴

曾被徐悲鸿大师誉为中国之鲁本斯的董希文教授（1914—1973），出身于绍兴世家，自幼便打下中国文化素养的根基。之后在几个美术学校学习西画，掌握了极其踏实的基本功和油画技巧。这期间他也曾留意中国画，但对于中国传统绘画的精髓，他是在敦煌艺术研究所工作的二年多时间里，通过临摹壁画而得到的。1943年，国立敦煌艺术研究所创建，所长常书鸿聘请董希文为临摹壁画的助理研究员，后因他成绩突出晋升为副研究员。董希文临摹敦煌前期，即十六国至北周时期的壁画最为得心应手。曾摹画出《萨埵饲虎图》等不少佳作。唐代壁画也是他临摹和注意的对象。在人物佛道画方面，六朝至隋唐是个鼎盛时期，其造诣之高，完全可以在敦煌壁画上体现出来。董希文绝不借敦煌壁画之迹而肆意窜改，来猎取个人名利，他是老老实实向中国传统绘画学习。冬天无法进洞窟临摹时，他就在室内画些现实题材的创作，如人物肖像、少数民族风俗行旅之类。我曾亲见他的《运盐图》长卷，画的是川贵路上的运盐马队。其线条之有力，形象之生动真实，实不在名家之下。我尝戏之曰："希文笔力能扛鼎，五百年来无此君。"他把学习临摹中国优秀壁画时的心得、他广泛的中国文化修养与深入现实生活的体会融入其油画创作之中，才使中国油画之民族化向前跨进了一步。

他的《开国大典》，从内容到形式，都可以说是中国油画艺术的里程碑。就内容论，整个画面讴歌了中国人民的胜利；就形式论，突出了民族化作风，在整体装饰上，不强调自然光的明暗对比，不强调焦点透视，明显地吸收了中国画的技法和特点，正是这样，才使内容气质表现得更充分和传神。《开国大典》一画将永垂史册，而董希文要油画走民族化道路的主张与实践，也将永垂文艺史册。

张伯驹先生轶事

杨仁恺

张伯驹先生收藏古代书画，早已名满环宇，惜没有机会见面，常引以为憾。1945年冬，在北京南新华街玉池山房店内，不约而遇，经老板马先生介绍，才相识定交。前后四十年里，没有中断过联系，彼此的了解，也在逐渐加深，主要是爱好相同的缘故。

伯驹先生的一生，经历非常丰富而复杂。出身于名宦之家，但他却未流为纨袴，相反从小熟读历代诗文，稍长，以长短句享名于时；又喜收藏古代书画，不惜典宅以购入名迹。藏有西晋陆机《平复帖》、隋展子虔《游春图》诸传世孤本。就收藏古代书画名品而言，有“南北二张”的美誉，南为张珩，北即张伯驹，为文物界所公认。

伯驹先生琴棋书画无所不精，并擅京剧老生唱腔，得名师传授，曾与梅兰芳先生同台彩排演出，至今传为佳话。

他在鉴藏书画和诗词创作上造诣很深，原为吉林省博物馆副馆长，在“文革”中遭到迫害，

开除公职，下放农村。先生时已年逾古稀，夫人又体弱多病，农村生活十分艰难，他为求生一线希望，逃回北京，找到好友章士钊先生，欲在中央文史馆谋一栖身之地，然而事与愿违，未能成功。适逢他的知遇陈毅元帅病逝，于是怀着悲痛的心情，撰写一副对联，以哀悼逝者。竟未想到在八宝山的追悼会上，毛泽东主席突然莅临，看到这副对联，甚为留意，询问作者何人？周总理以实情汇报，答以“快办！快办！”不数日文史馆聘书送到，可以说是绝路逢生。其联文曰：

仗剑从云，作干城忠心不易，军声在淮海，遗爱在江南，万庶尽衔哀，四望大好河山永离赤县；

挥戈挽日，接尊俎豪气犹存，无愧于平生，有功于天下，九原应含笑，伫看重新世界遍树红旗。

上下联对仗工整，读起来铿锵有声，诚乃大家手笔。事情竟如此奇巧，当张伯驹先生已到山穷水尽之时，却受知于毛主席，得以绝路逢生。这故事具有强烈的感染力，耐人寻味。

追忆故友韩慎先先生

杨仁恺

在天津古玩和书画的收藏家中，对我印象

最深的，是韩慎先和周叔弢两位先生。我与韩慎先先生是在1946年春结识的。虽然我俩两地相处，但由于对古代书画的品评意见多趋于一致，感情却格外融洽、亲近。韩先生长我十来岁，是我的老大哥，当时我是刚过而立之年的年轻小伙子，他不弃我无知，肯与我为友，很使我感激。我曾不止一次地被他的高论所倾倒。

先生乃仕宦人家子弟，原客居北京，家境还宽裕，故有条件收藏历代书画名作，眼力得到锻炼，宋元名迹如宋徽宗赵佶画卷，先后经其过目并予以庋藏，堪称北方书画鉴定界中之白眉。

先生专擅京剧老生唱腔，得谭派之真传，曾与梅兰芳先生同台表演，并录音遍行全国，声名远播。我有幸在他的天津寓所躬逢其盛，引吭高歌，余音缭绕，实在是名不虚传。

新中国开国后，先生被聘为天津艺术博物馆副馆长，建树甚多，其文物鉴定，征集工作，成绩突出，至今犹为诸同仁称道不已。五十年代中后期，文化部文物局有鉴于各地博物馆所藏历代书画，缺乏专家为之鉴别，致无从着手整理保管，于是组成专家小组进行鉴定。先从北京市内几家博物馆开始，殊知刚刚起步，进入中国历史博物馆工作，不意在下榻的崇文门内和平饭店，突患脑溢血，经同仁医院多方抢救，终于无效，病故。文物界失掉一位卓越的老专家，我则痛悼知音已渺，何处质疑问难，心情为之彷徨，久久不能平静。

先生的博学多识、诚恳待人、一心为公等精神，永远留在朋友们的记忆中，并成为前进的鼓舞力量，确是文物界的良师益友。

东北最早发现的燕秦古长城遗址

冯永谦

东北地区在战国燕时开始修筑长城，不过其城址在何处，经行线路怎样，由于文献记载不详，一直没有查明。考古学家李文信先生很重视古代的长城，每当野外调查时，都注意向当地居民了解有关情况。1941 年，先生在内蒙古东部，一位蒙古族友人那苏图相告：建平县北黑水村附近有一座土城址，老哈河的东西两岸都有很长的老边。先生认为这很可能就是燕秦古长城，后经调查,果然无误。两年后,他在赤峰地区考古,听撒水坡村民讲:村北山岗上有条土龙。先生在撒水坡、老爷庙、五里岔一带经过实地查考,结果在英金河北岸发现了这道久无人知的古代长城。李文信先生对此有一段精彩的描述,使没去过当地的人读后也如身临其境一样。李先生说:这段长城"跨山连谷,一望无际,十分雄伟,并且沿长城壁内,每隔二三十里就有一座小城。长城内外都是利用高山建筑烽火台,星罗棋布,有很近的,也有十里、二十里以上较远的。河口、山谷也都筑有小型城堡。……从此辽宁省内秦、汉长城址以前那种'只在此山中,云深不知处'的状态,已成过去了。"

这些发现将人们印象中的长城向北直线推移了五百多里,即由古北口至山海关一线的长城推移到了赤峰,而且证明了在上述地区秦汉长城和明代长城并不是同一线路,这在学术研究上的意义是非常深远的。现在这一调查成果,已为当代史家所公认。

辽阳北园汉代画墓的发掘与保护

冯永谦

北园汉代壁画墓，是辽阳地区壁画墓中年代较久、墓室较大、结构复杂、壁画丰富的一座画墓。就其所涉及的内容看，多姿多彩，诸如楼阁建筑、家居生活、庖厨宴饮、门卫仪仗、出行车马、音乐舞蹈以及杂技等无不毕具，惟妙惟肖。可以说，北园壁画墓是辽阳汉魏壁画墓中之白眉。

1934年春，这座位于辽阳市区西北部、太子河南岸冲积平原上的壁画墓的封土，因施工用土而被取走，逐渐露出由淡青色南芬页岩大石板构筑的墓室。刚发现时，村民随意入内，使壁画受到一些损坏。考古学家李文信得知此事，立刻由沈阳去辽阳作实地调查。那时条件极差，墓内漆黑，不能辨物，仅凭烛光，寸寸移览，但他还是记录了墓葬结构，摹绘了壁画。后来李先生写出《辽阳北园画壁古墓志略》一文，才使北园汉代壁画墓闻名于世。北园一带皆系良田，用土奇缺，壁画墓之封土即遭蚕食，迨至建国之初，封土已被取殆尽，墓顶石板有的亦被掀开。这座大

型汉代壁画墓面临毁灭之虞。1955年李文信先生率领考古人员来到北园,目睹此情况,深感惋惜。当即雇工修整墓室,从他处运土屯封,进行复原,才使此墓得以保全。此后不久,即1956年,国务院将辽阳汉魏壁画墓群列为“全国重点文物保护单位”,得到政府保护,完好至今。

辽阳自古名都,壁画墓群为历史悠久的祖国争光,而其能保存下来则赖李文信先生之力多矣!其功不可泯,略志以示后人。

鸡冠壶一名的由来

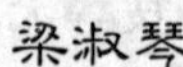

鸡冠壶是辽代特有的一种颇具民族色彩的陶瓷容器,初次发现大约在二十世纪三十年代。随着有关辽代的考古事业的兴起和发展,出土的日渐增多,辽宁省博物馆的收藏就有相当数量。在众多的历代陶瓷藏品中,鸡冠壶如奇花异卉,品种繁多,占有重要的地位。

建立辽朝的契丹族是游牧民族,活动于高寒多风的大漠之间,过着“畜牧畋渔以食,皮毛以衣,转徙随时,车马为家”的生活。特定的环境需要特定的器皿,鸡冠壶的造型和装饰,多少反映了这种生活习俗,它就是摹仿契丹族惯用的皮囊的形状烧造的。有的壶上仍有仿皮革缝制的痕迹，像皮页缝线、针眼、皮扣、皮条装饰以及皮绳编的环把等，使人一看就想起皮囊，这充分说明了鸡冠壶和皮囊之间的渊源关系。鸡冠壶上有的刻划着卷草纹，有的在花草之间贴塑一个匍匐爬行的儿童像，有的在壶的顶部塑一马鞍和骑手，这些装饰都真实地反映出以马上为家的游牧生活方式，别有一番风致。

鸡冠壶起初被称为马镫壶，李文信先生认为不合适。因为壶上近口处都有一个鸡冠形的有孔大鼻，有的整体就像鸡形，所以他命名为鸡冠壶。这一新的名称遂为中外考古学界所公认，一直沿用到现在。

锦州古塔

常喜书

锦州古塔是锦州古老文明的象征。古塔的"古"，应追溯到九百三十多年前，即辽代清宁三年(1057)。建塔之始，这座塔还是十分辉煌的，《县志》记载"塔高二百五十尺"，经上千年风雨剥蚀，迄今仍有五十七米高，把已脱落的塔顶和十几米的塔刹算在内，称之为大，当不为过。

锦州塔的结构，属八角密檐式实心砖塔。塔身八面，每面正中置券顶佛龛，龛内各塑坐佛一尊，自西而东为阿众佛、尸弃佛、宝生佛、拘留孙佛、无量佛、迦叶佛、不空成就佛、释迦牟尼佛。形容各异，姿态如生。左右两侧各有胁侍，上有浮雕飞天，可见辽代艺术风貌。

塔檐原为十三层，凌空高挑，神韵飞动。下施砖砌斗拱，愈见雄伟，塔顶已颓圮无存。据《东北名胜古迹轶闻》说，是清太宗攻锦州时用炮击落的；而《奉天通志》又说是明代洪武年间，有位朱姓的武进伯误以为金顶，用炮轰落的。何者可靠，无从考证。

幼年时，我家居塔下，整天在塔下玩耍。家大人一再嘱咐不要靠近塔基，以免为落砖所伤，但我们这些孩童谁也未亲睹塔砖下落。

日本人侵占锦州期间，对古塔并不感兴趣，不去维修，也未拆除。我亲见他们拆毁锦州城墙和鼓楼时，尚由身披花袍的日本僧人做法事，而他们对古塔却不屑一顾，故而能原样的幸存下来。

古塔下面的寺院名大广济寺，故而古塔的雅称为大广济寺塔。寺院建于辽代，自南至北由山门、观音堂、塔、天王殿、关公殿和大殿(即正殿)，共同构成一组古建筑群。寺东有昭忠祠，建于 1898 年，现是全国惟一为纪念甲午战争陆战中牺牲的烈士而建的纪念堂。寺西有天后宫，建于 1725 年，时称海神娘娘庙。就建筑艺术言，还是有一定成就的。

近一个多世纪以来，锦州古塔被看做一种景观，列入“锦州八景”，称为“古塔昏鸦”。对于此名称之由来，考证者颇多。有人认为明弘治间辽东御史兼提督学政宋鉴游大广济寺，看到黄昏中群鸦噪晚，盘旋于塔顶，因题“古塔昏鸦”四字于石上，于是得名。有人认为缘于明孙承宗诗：“何年青玉华，尚作天一柱。寒鸦时复来，半搅天花雨。”而近代陆宝臣则有句云：“宝塔当空皓月悬，塔高万仞近千年。昏黄日落晚霞暗，鸦阵飞翔几处眠。”名称的出处是无关宏旨的，就古塔昏鸦的实景看，呈现出一种苍凉落寞的情调，也许是失意文士们的遐思而已。虽有人告诉我，所谓昏鸦，其实并不是鸦，而是一种名为塔燕的“燕”。我没作详细考究。今天呢，游人群至，昏鸦不来。看塔的人不少，看鸦的似乎绝迹了。还是邵秉仁君一首诗道出了古塔的新姿：“一柱难擎千载忧，断檐残顶黯然留。不闻斜阳暮鸦噪，但见锦州腾巨流。”一反孙承宗原意而用之，气度胸襟自不可同年而语。哲理深深，壮怀烈烈，庶几称得上咏古塔的名句。

今天古塔已得到维修，它也沐浴在和煦的阳光中，展现新姿。

辽代帝后哀册的来历

阎万章　梁淑琴

我国帝王死后，将遣葬日举行“遣奠”时所

读的最后一篇祭文,刻或写于竹简上,用绳编缀成册,置于匣内,埋入陵中,称为哀册。古代用竹册,唐代始用玉册,由于纯玉不易得,唐宋多用珉玉,明代则用木册。

辽宁省博物馆藏有辽代帝后哀册七盒十五石,其中有契丹文的二盒,汉文的五盒。这些哀册书法劲健,纹饰雕刻精美,不论从历史价值或艺术价值来说,都是极为宝贵的珍品。这些珍品是 1930 年原热河省主席汤玉麟及其子汤佐荣从辽陵盗掘出来, 运到沈阳他们的新邸作私产的。

辽陵在今内蒙古自治区赤峰市巴林右旗索布力嘎(白塔子)北十二公里半的王坟沟,是辽圣宗、兴宗、道宗三个皇帝及其皇后的陵墓。当时是辽朝的兴盛时期, 这三座陵墓建造得都很讲究,其中埋藏着许多珍贵的殉葬品,因此屡遭浩劫。远的且不说,近百年来就曾多次被盗掘破坏,盗墓者有外国人,有地方官,也有被压迫剥削铤而走险的农民。

1930 年春,有个自称“省府专员”的人,来到辽陵,重加发掘,时间长达三个月,把陵墓破坏得更加惨重。不言而喻,此人是受汤氏父子指使的。在“专员”盗掘之后的同年秋天,日本鸟居龙藏为“搜探”辽代文化遗迹,也来到辽陵。据他记述:“此三陵均已被盗二三次 (实际不止此数。——引用者), 距今十年前, 西陵被盗, 去年(1930 年),东、中二陵又复被盗至三月之久,故室内俱已零乱狼藉，使人目不忍睹”；“中陵破坏最甚，内部木柱等物悉被窃去，砖面壁画装饰图样亦已剥落无遗”；“西陵约于十年前曾被某外国人盗掘，去年又有华人发掘，遂致使人骨(头骨)散乱，墙面、天棚破坏不堪，壁画等物亦无可观。木柱、木门显被窃去，木片散在各处”。他所说的“某外国人”，指德国人福克司，1922年6月曾来辽陵盗掘。所谓“华人”，即指那位“专员”。“专员”盗完之后，将所得哀册等珍宝用牛车多辆运往省会承德，沿途戒备森严。抵承之后，又派专人看管，不准捶拓。当时教育界人士曾上书教育厅，恳请拓印，以广流传，竟如泥牛入海，杳无音耗。不久即秘密运来沈阳，藏入汤氏新邸。“九一八”事变后，伪满洲国将汤氏新邸没收，辟为伪国立中央博物馆奉天分馆，辽代帝后哀册遂成为该馆的藏品。以后，虽历经日本投降、东北解放等战火，幸得无恙，现在仍然保存于辽宁省博物馆之中。哀册上所刻的契丹文字，是辽朝使用的民族文字，在地下已埋藏八九百年，它的重新出现于人世，不仅惊动了中国，也惊动了世界。关于契丹文字的研究，而今已成世界性的专门学问。

大石面(大十面)

王恩涛　王明琦

本文作者之一王恩涛的故乡距离奉天城有四十华里的路程，孩童时，每逢春季，母亲总是携领进城逛天齐庙会。三更天徒步起程，赶到天齐庙，已近午时。母亲焚香毕，便领王到故宫门前看“大石面”。她用粗大的手掌拍打着石面对王说：“你好好看看大石面，将来长大，走南闯北的什么都不怕了。”这番话在王幼小的心灵里未免引起了疑惑，这块十面型的石碑怎么会有如此之神通？当时王并无走南闯北的想法，当然也勿须去考究母亲话的含义。

直到上中学时豁然开通，原来人们用的是谐音，大石面者，大世面也。见了大石面即见了大世面、大社会。母亲是大字不识的农村妇女，她也不知晓究竟。当时农村有句俗语：“你见过大石面吗？”把大石面视为教子碑，足见大石面在沈阳人心理上影响之深。

到底大石面是怎么一回事呢？

大石面，亦称大十面，是沈阳人对佛教遗物石经幢的俗称。清道光九年(1829)，礼部尚书何汝霖随道光帝东游盛京(沈阳)时，曾见它立在东华门的南侧，据他所见，其上刻文“语多佛号”。五十年后，清光绪四年(1878)，翰林缪东霖为它写了一首七绝：“胜数东华八角亭，人从九面望玲珑。摩娑细认嶙峋石，上写一卷金刚经。”诗后跋语记道：“相传为镇海而设，土人谓石面者，此也。”当时这块石经幢已被人们呼作“大石面”了。

清光绪二十九年(1903)，日人内藤湖南来盛京，也见到这块石经幢。由于将石上刻文中的“大唐开国三朝”误读为“大唐开元三年”，便认定此石为唐朝遗物，并进而断言沈州（沈阳古名）建置于唐朝。此说竟成为一时的权威论断，至今尚有其影响。1934年，日本园田一龟正确地识读了“大唐开国三朝灌顶圆师……”刻文，认定此石为辽代遗物，从而否定了内藤的沈州唐建置说。1980年，本文作者之一王明琦据《一切经音义》，考证了石经幢经文的译本、石经上的“启请文”及其语言时代特征、石幢的造型等，进一步确认此石为辽末遗物。

李文信揭开大铜钟之谜

李仲元

沈阳故宫藏有巨大铜钟一口，高约两米，重数千斤，铸造精美，造型古朴。原来它有一段悠久的历史和不凡的经历。清代盛京城内建有钟、

鼓二楼，是清太宗崇德二年(1637)修建的。钟楼上悬挂的就是这口大铜钟。每晚敲钟定更，洪亮的钟声指挥着盛京军民的起居，一直敲到辛亥革命。1930年拆除钟楼时，悬挂了二百九十三年的大铜钟，移存于沈阳故宫院内。其铸造朝代、铸造之人、从何而来，均说不清楚。

我的父亲，考古学家李文信先生于1940年的一天，发现在布满钟身的绿锈片下，隐约有微细的纹痕。经他剔刮，除掉锈片，出现的竟然是一大段镌刻的铭文。根据这段铭文考证研究，基本上弄清了大钟的身世。辽圣宗统和二十年(1002)，铭文作“应历八年”误，承天皇太后率辽兵侵宋境，破乐寿城，在觉道寺获大铜钟一口，回师时，将它运回辽国，赐给感圣寺，悬挂在钟楼上。过五年，辽在这里建立了中京城(即大定府，今宁城县)，这口大钟便与辽中京城相始终。辽保大元年(1121)，金太祖完颜阿骨打发兵攻打辽中京，辽兵败，城破之时，自焚图籍宝物，也将大钟焚毁。金海陵王天德三年(1151)闰四月，寺僧们又集资重铸了大钟。不知何时，何因、何人将大钟移到距离大定府数百里的辽南地区。后金天命六年(1621)，清太祖努尔哈赤巡视辽南时，发现这口大铜钟，将它运回辽阳，后迁沈阳。此钟悬挂钟楼之后，铭文为锈片所掩，李文信先生重新发现它的铭文，揭开大钟历史之谜，实在是一个重大的贡献。

此钟现为国家一级文物，陈列在沈阳故宫

大政殿十王亭南部西侧，供游人们鉴赏。

记录“沈阳”名称最早的石碑

王明琦

沈阳，辽金时称“沈州”。“沈阳”一称最早见之于文献是《元史·成宗本纪》。大德元年(1297)称“沈阳路”。“沈阳”一称证之于实物，最早的是元代至正十二年(1352)的《沈阳路城隍庙碑》。

此碑，碑阳记载了至正四年(1344)道士胡道真对沈阳城隍庙“起废兴残”的始末；碑阴则记录《沈阳路城隍庙功德官员题名志》。在《题名志》署名的官员中有从三品怀远大将军任职于“沈阳等路安抚使、高丽军民总管府”的达鲁花赤，和正四品宣武将军任职于“总管高丽女直汉军都万户兼管沈阳等路安抚使、高丽军民总管”；还有其他文官、地方耆老、施主以及道观主持等五十多名。在《题名志》下，还记载了城隍庙寺院坐落四至以及香火地亩的四至。特别是寺院的四至，是研究元代，乃至明清沈阳城址走向的不可多得的材料。

沈阳城隍庙碑记载庙坐落在元代沈阳城的西北隅，到了明清时期，城隍庙却位于沈阳城中街的中心路北。显然明清沈阳城是在元代沈阳城的基础上向西扩展，使城隍庙由原处于城的

西北,而一变成为沈阳城的中心位置了。

明彩绘本许论《九边图》

阎万章

明代彩绘本许论《九边图》,是1949年2月在沈阳故宫西七间楼下层堆积的清代废旧物品中发现的。

《九边图》共十二大幅,绢本。青绿描金绘制,图中重要地名注有满文。原裱在沈阳故宫的屏风上,1949年揭取下来,重新加以装裱。此图第十一幅左上方有嘉靖甲午 (十三年,1534年)四月六日许论《九边图》序,可知作者是许论。许论,字廷议,河南灵宝人。嘉靖五年(1526)进士,仕至兵部尚书。早年好谈兵,幼从父历边境,尽知厄塞险易,先作《九边论》,后又绘《九边图》与之相配,因名此书为《九边图论》。上之,世宗命颁行于各边。所谓九边,是在辽东、蓟州、宣府、大同、偏关(附宁武、雁门二关)、榆林、宁夏、固原、甘肃九个地方修筑边墙(即明代长城),各置总兵镇守,以防御西北、正北的蒙古和东北的女真。

许论的《九边图》如与明末闵刻朱墨本、清代鲍氏刻《后知不足斋丛书》本的《九边图论》相比,大抵绘本详,印本略,绘本较正确,印本多错误。也有绘本错而印本正确的地方。

此绘本应是明代、辽代衙署中之物，后金天命六年(1621 年，明天启元年)，后金军攻下辽阳，为清太祖努尔哈赤所得。努尔哈赤由辽阳迁都沈阳时，将此图移至沈阳，陈列在故宫中，图中所注满文为达海所创制的有圈点满文。因清太宗皇太极不识汉字，故在地名旁添注满文。

辛亥革命以来，沈阳故宫屡经变动，此图险遭毁掉。重得发现保存，亦云幸甚。

利玛窦《两仪玄览图》

阎万章

《两仪玄览图》原先裱在沈阳故宫屏风上，后揭取下来，重新装裱成为八幅挂屏。图中山脉用写景法表示，大都施以青绿彩。重要地名用墨笔添注有圈点满文。此图系努尔哈赤得之于明代辽阳衙署，后携来沈阳。满文是皇太极命人添注的。

此图第五幅有《刻〈两仪玄览图〉序》，序末署“万历癸卯(三十一年，1603 年，——引用者)，秋八月耶稣教学子葆琭李应试识”；第六幅也附有一篇序文，末署“万历三十一年岁次癸卯仲秋旦耶稣会中人利玛窦书”。据此，我们得知这就是明万历三十一年李应试(教名葆琭)刻的利玛

窦《两仪玄览图》。据李应试的跋文,参与刊刻此图的还有钟伯相、黄芳济、游文辉、仇一诚(一名雅谷)、丘良禀、徐必登等人。两仪,取《易·系辞》:"是故易有太极,是生两仪",即天地之意。玄览,取于《老子》的"涤除玄览",河上公注"心居玄冥之处,览知万物,故谓之玄览",即深刻观察之意。

李应试,就是《明史·李如松传》和《朝鲜传》所记,明万历二十年至二十六年(1592—1598),倭寇侵略朝鲜期间,奉派赴朝征倭的明军"参谋李应试"。利玛窦,意大利人,明万历十年(1582)来中国的天主教耶稣会传教士。他在中国绘制世界地图多种,其中包括这本《两仪玄览图》。

《两仪玄览图》绘有欧逻巴、利末亚(非洲)、亚细亚、南北亚墨利加、墨瓦蜡尼加(南极洲)五大洲,和大西洋、大东洋(太平洋)、小西洋(印度洋)、冰海(北冰洋)四大洋。由于当时澳大利亚大陆尚未被发现,所以没有绘大洋洲。图中还有一些附图、附表、图解和说明。

《两仪玄览图》把亚洲放在全图的中心,而中国部分最为详细。尽管此图在图形轮廓和文字说明上还不很精确,甚至有错误之处,但在当时仍不失为东亚地区最详尽的世界地图。原图藏辽宁博物馆,可能是世界的孤本,但民国以来久在尘封之中,解放后才引起重视,成为珍宝。

最早的一份沈阳城市图

王明琦

沈阳城是明代在辽、金沈州城的废墟上建立起来,经过清初改建后形成的,但人们很难看到能够反映当时盛京面貌的城市地图。辛亥革命后清理清宫档案时,发现一幅绘制的《盛京城阙图》,这幅图现藏在中国第二历史档案馆,是迄今所见的惟一沈阳古地图。图为绢本设色,宽与高均为130厘米,呈正方形。

图中所示:外缘为方城,东西南北四面城墙上有垛口。每面城墙各有城门两座,均用满汉文对书标记,城门外设瓮城,城垣四角各有角楼一座。八座城门与四座角楼均为歇山三滴水围廊式建筑。

在北城墙的福盛门与内载门之间,有一座二进式院落。院落建筑在高台上,正面正殿三楹,东西两厢各配殿三楹,均为硬山前后廊式建筑,屋顶满铺黄琉璃瓦。满文标记,汉译为“太祖居住之宫”。这是清太祖努尔哈赤在1625年从辽阳迁都沈阳后,到他次年逝世,一直居住的宫室。但无论从清初的《满文老档》里,还是从《清实录》以及其他各种史料中,均找不到有关努尔哈赤迁都沈阳后的居室的明确记载,一般史家认为现存的沈阳故宫就是他迁都时修建并居住的地方。《盛京城阙图》揭示了这个三百多年的历史之谜。图上的井字大街的中心,是盛京宫殿的建筑群体;其东是大政殿与十王亭;其西是大内宫阙,它是以大清门、崇政殿、凤凰楼、清宁宫为中轴线的一组宫殿群,这些建筑均用满文标记。值得注意的是,崇政殿前的阶陛和殿东侧的建筑,明显不同于乾隆十三年改建后的面貌。图中的盛京宫殿群,没有乾隆四十七年建造的西路文溯阁,却有大清门以南内务府等一些建筑;此外还有十一座清初王府,也以满文标记,分布在沈阳城内各处。除陶夫亲王(汉译庄亲王)府为一进院落较小外,其余为二进院落。这些都是硬山前后廊式建筑,格局与盛京宫殿、大内宫阙大体相同,只是规模较小而已。此外在《盛京城阙图》中,还有清初的六部、三院衙门和奉天府、承德县衙署。这幅图是最早的沈阳城市图,它为清初史和沈阳城市史的研究提供了极为珍贵的资料。

文溯阁《四库全书》归沈记

王维范　黄禹篇　佟　悦

清乾隆年间所修《四库全书》,共缮七份,各建阁贮存。盛京故宫文溯阁收藏的一部比较完整，但也经历了不少磨难。

日俄战争时，沈阳故宫被沙俄盘踞，《全书》略有缺失。战后，日本历史学家内藤虎次郎强行搜索故宫汉满蒙藏经卷万余卷，并有觊觎《全书》之意，幸未得逞。民国初，袁世凯称帝，以段芝贵为奉省督军。1914 年段为取宠于袁，将文溯阁《四库全书》运往北京，置故宫保和殿内。关东第一文献瑰宝劫离故地，东北文化界人士深为痛惜。

1927 年张作霖进驻北京，奉天省教育会会长冯广民与省长王永江及袁金铠等人相商，拟收回宝书。冯复趋京津，走谒张学良、杨宇霆及农商总长莫德惠、古物陈列所会办梁玉书等，均得赞同，遂将此议提交内阁讨论通过，并获得张作霖的支持。冯又延集奉省人士三十余，用八天时间将《全书》运抵沈阳，藏入文溯阁。运沈前依北京故宫文渊阁本补抄残卷，得以恢复其本来面目。教育会为记此事始末，于 1930 年刻《四库全书运复记》石碑一方，嵌于文溯阁院内东壁，至今犹存。

“九一八”事变第二年(1932)，伪满洲国将文溯阁改为奉天图书馆分馆，《全书》仍藏在馆内，直到日寇投降，幸未遭其劫掠之灾。

1946 年，国民党政府将《全书》拨归沈阳博物院筹委会管理。1948 年东北解放前夕，又欲将《全书》运往北平，因东北有识之士群起反对，方作罢。

辽沈战役后，沈阳解放，历经风雨沧桑的《四库全书》得安然无恙，璧还我人民原主。

抗美援朝战起，我人民政府为了这份瑰宝的安全，曾先后移至黑龙江的讷河、北安及辽宁千山山中保管，现存甘肃图书馆。

蒲松龄《聊斋志异》手稿在沈阳

李仲元

清末，蒲松龄的《聊斋志异》手稿为其后世子孙携来沈阳，遭遇种种厄难，如今仅存其半。现将经过记叙如下：

清咸丰末，蒲松龄七世孙蒲介人，从山东淄川老家到沈阳（当时的盛京）谋职和定居，随身带来蒲松龄的《聊斋志异》和《农桑经》两书手稿。这部《聊斋志异》手稿是蒲松龄亲笔誊录的清稿，只有个别篇章的字句稍有改动，并有若干篇为坊间刻本所未收入者。上下天地有著名诗人王世祯的许多批注，皆为蒲松龄亲笔过录。稿本誊录在微黄的竹纸上，为未经装订的散页，由于年岁久远，纸边有破损。蒲介人到沈阳后，先将手稿裱装为四十六册，后改装成八册四函，分上下两部。蒲氏家族视之为传世瑰宝，一直慎重保藏，秘不示人。同治八年(1869)，曾经刘滋桂从中选出若干篇刊刻为《聊斋逸篇》，但世间流传极罕。蒲介人逝后,《聊斋志异》和《农桑经》手稿传给其子蒲英灏。

光绪二十年(1894),蒲英灏在盛京将军衙门任哨官帮统等职,并兼营务处交涉局、筹济局委员,经上司保赐花翎三品都司。此时,蒲家珍藏《聊斋志异》手稿事渐为世人所知,多有请求借阅,一睹真迹者,皆遭蒲家婉言谢绝。光绪二十二年(1896),依克唐阿调任盛京将军后,闻知蒲氏手稿,亦欲一睹为快。便多次求借,并一再保证阅后璧还,决无损坏。蒲英灏碍于情面,又慑于他的权势,虽曾再三推拖,而终于不得不借。但只将前两函借予,待读毕再换借后二函。约在光绪二十四年(1898),依克唐阿借得手稿,如获异珍,公务之余,手不释卷。数月,便将前两函四册阅毕奉还,并借走后两函四册。不数日,依克唐阿因事进京,不久染疾卒于京师。光绪二十六年(1900),蒲英灏调西丰县任职,后虽曾多次寻找依氏遗属,但八国联军侵占北京后,形势混乱,侯门变迁,无从寻觅。从此下部手稿下落不明,不知其尚在人间否!

蒲英灏逝世后,这半部手稿传给儿子蒲文珊,文珊在民国时期曾任西丰县图书馆馆长。民国十九年(1930),奉天省大吏袁金铠有意于手稿,先以选刊出版为由,提出借阅上部。蒲文珊为免于重蹈覆辙,便亲持手稿来奉天,与袁金铠等人共同选出与刻本出入较大的十四篇及刻本未收入的十篇,共二十四篇编为一册,连同稿本存入银行。但因“九一八”事变骤起，出版事遂寝。越数年，由各市县集资，出版了这个选本。事后袁金铠欲以重金求售，蒲文珊以“贫不卖书，古训昭然”，不敢有违祖宗遗训为辞，拒之甚坚，并将手稿从银行取回。不久，蒲文珊所任西丰县图书馆馆长一职，便被解除。但袁氏对此半部手稿觊觎之心一直不死，敌伪时期曾委其子袁庆泽到西丰县任县长，用意仍在攫取稿本。蒲文珊日夜提心吊胆，特在宅内建一小秘室，将手稿珍藏其中，暇时便进秘室翻阅，抖晾。不久日伪投降，稿本始得安然。

土改期间，稿本虽被一些农民进城拿走，险遭丙丁之灾，幸由西丰县委有识之士及时找回。解放初，蒲文珊老人的子女投身革命，老人便将此半部手稿献给国家，经东北人民政府主席林枫批准授奖，手稿则由东北图书馆(今辽宁省图书馆)珍藏，从此，庶可免于流散遗失，水火霉蛀的厄运，蒲氏子孙也可告慰先人。他们倘能寻到手稿的下半部，那就更是国人之大幸了。

最近，笔者曾访问蒲氏十世孙女蒲延章同志，并对她所叙述的材料进行核对，查阅了有关文献，作了合乎事实的补充和订正，特撰成此文，以飨读者。

奉天维城学堂

庞敏丽

奉天维城学堂俗称“黄带子学堂”，其前身为盛京宗室觉罗学。清制，努尔哈赤之父的直系子孙称宗室，以系金黄带子为标志；其旁系子孙称觉罗，以红色带子为标志。因此，维城学堂即皇族子弟学校。

早在1630年，后金汗（1636年起改称清太宗）皇太极便颁发谕旨，凡八岁至十五岁的贝勒大臣子弟必须上学读书。后经各旗协商，集资兴办了盛京宗室觉罗学。

该校初建时有觉罗大厅、宗室大厅及五间

旧式宽大瓦房，后来又屡次扩建。康熙帝来东北参拜三陵，驻跸盛京将军衙门时，曾召见宗室觉罗学的学董、学监和有功名的教习，并亲书“天潢维城”大字匾额，悬挂在宗室大厅门楣上方。按“维城”二字出自《诗经·大雅·板》：“大邦维屏，大宗维翰，怀德维宁，宗子维城”。意谓连城以卫国，而以宗室为国家的屏障。康熙帝没有取“宗子”二字，而用“天潢”。古称帝室曰天潢，亦即天池，为天家所在。皇族支分派别如导源于天池，故称皇族曰天潢。“天潢维城”，意谓无论宗室、觉罗都是国家的屏障。

二十世纪初年，盛京将军赵尔巽奏请朝廷，经西太后批准，于宗室觉罗学原址改办学堂，定名为奉天官立维城两等小学堂。1905 年开学，招收初高等学生各四班，皆皇族子弟。待遇颇优，校纪亦极严，军事操练为诸校之冠。其后历经坎坷，解放以后改为普通中学，即沈阳市第八中学。现沈阳市政府已经批准改名为满族中学。

沈阳萃升书院

兴振芳

沈阳在清代称盛京，位居陪都，但各项事业都落后于南方诸省，教育尤其如此。沈阳的萃升书院也是时兴时废，断断续续，但民国时期却又一度兴盛。书院从草创到“九一八”事变，前前后后延续了二百多年，是本地一所历史悠久的高等学校。

清康熙末年，奉天府丞任奕鉴，在府丞衙门东侧(小南门里连奉堂浴池西北处)建房三间，挂上“萃升书院”的匾额，创办了这所院校。雍正初年，盛京工部侍郎李永绍在城内东南角学宫右侧(沈河区沈阳路文庙里南部)建立义学，不久改称沈阳书院。这两所书院的当时具体情况，现已无从查考。

乾隆七年(1742)，奉天府尹霍备见沈阳书院规模甚小，乃率僚属集资为之增建讲堂五间，学生斋舍二十一间。又过二十年，欧阳瑾任奉天府丞，他见沈阳书院已具相当规模，而且邻近文庙、学宫，地点优越，而萃升书院仅有小屋三间，简陋不堪，于是就把萃升书院的匾额悬挂在沈阳书院的仪门之上，以表示不忘前辈任奕鉴的首创之功，而沈阳书院之名却逐渐湮没无闻。光绪二十四年(1898)，萃升书院改名为校士馆，两年后义和团在校内建立神坛，校舍被毁。宣统元年(1909)，奉天教育总会迁入书院原址，屡加修葺，渐复旧观。

民国十七年(1928)，经东北地方当局修整后，萃升书院复校，仍用原名。招收学生专习中国古经史文章，并由杨宇霆负责，从北京聘请原清史馆总纂王树枏为山长兼经学教师，清史馆纂修吴廷燮讲授史学，著名学者吴闿生、高步

瀛、高亨等讲授词章(文学),于是萃升书院便开始闻名全国。虽然“九一八”事变后,该院被迫解散,但它曾经培养出许多专家学者,已成为沈阳教育史上光辉的一页。

阎宝航创办贫儿学校

王庆丰

阎宝航在奉天两级师范读书时,经常看到奉天城街头有三五成群的贫儿蓬头垢面,嬉笑斗殴。阎宝航自己就是贫苦家庭出身,幼年失学,几经周折才得到读书的机会。看见这些不能入学的孩子,他深感痛心。而且他认识到,不从普及教育入手,则谈不到富国强民。于是,1918年夏天,他即将毕业之际,多方筹集一点经费,在景佑宫破庙里为穷孩子创办了一所学校,起名为奉天贫儿学校。

随后,阎亲自到南门里一带贫民区去招生,说明这个学校不收学杂费,还供给书本、纸笔、石板等文具。有些家长挺高兴,有的不相信有这种便宜事,存在观望心理,所以只招来二十几名学生。除自己外,阎宝航还邀请学友张朴山(后改名张韵冷)、魏怀谦等抱着教育救国思想的人,来担任义务教育。教室里只有几条长凳,坐着念书尚可,遇到写字时,便得跪在地上,把凳子当课桌。而阎宝航自己，白天忙完，晚间则睡在香案上。冬天学校无力生火，他就领着孩子们在院子里跑步暖身。艰难如此，阎宝航却编出一首富有情趣的校歌："室不蔽风寒，阴森破庙两三间；荜路蓝缕就开篇，设备自难全。跪写捧书念，冬日阳光下取暖；师生意志坚，弦诵不辍乐陶然。"

学校虽然艰苦，但老师教得很热心，孩子们学得也起劲，学业进步很快，从考试成绩看，并不次于公立学堂。一经学生家长宣传，不但那些贫户就是不算贫困的家庭，也找个借口送孩子来校学习。因此学生猛增到三个班级，同时引起了社会的注意，除张惠霖等为之捐助外，郭松龄将军的夫人韩淑秀也到校做义务教员。

1920年秋，阎宝航兼任青年会的工作，由于事务繁多，他把同学关纯厚请来当校长，阎自己仍继续做义务教员。经关校长悉心筹划，大力开拓，到1928年，该校已发展成总校一所，分校四所，学生达千余人。为了让学生学习技术和便于未来就业，还筹办了工厂和农场。可惜这项教育事业最后被日本侵略者发动的"九一八"事变所扼杀了。

张学良将军热心办教育

王维范　黄禹篇

张学良将军热心教育事业，一向为人们所乐道，今就我们当年所闻所见略述一二。

鉴于东北文化教育较之长江流域及中原地区尚有差距，将军下决心在这方面急起直追。他亲自担任东北大学校长，并创办了同泽中学、新民小学及储才馆之类的专门学校、职业学校等。这些学校的经费多由将军支付，例如他曾捐资一百八十万元扩充东大，又拿出其父遗产五百万元的年利七十万元，建立一个"汉卿教育基金委员会"，这笔基金除资助出国留学生外，主要用于提高教职员工待遇，如小学教师月薪最低为三十六元，高者可达六十元，级任教师六十五元，校长一百元，而东大教授月薪竟高达五百至八百元。当时知名学者如章士钊、梁思成、刘仙洲、梁漱溟、曹靖华、黄侃等纷纷应聘到东大执教，与此优厚的报酬不无关系。这事至今还传为士林佳话。

在张将军影响下，东北其他军政要人也相继起来办学，于是冯庸大学、吉林大学、兴权中学、治平中学、阜田中学以及其他中小学便如雨后春笋，破土而出，这是东北文化教育史上绝无

仅有的现象。

1930年,奉天省政府发布一条《收回满铁附属地教育权通令》,使原属日资经办的学校转为中国经办,这是一件废止日本奴化教育,发扬爱国精神的壮举,受到当时天津《益世报》、《新民报》的热烈赞颂。这也是张学良将军的一项德政。

冯庸与冯庸大学

王庆丰

1927年8月间,在沈阳城西南十五华里的地方,建起一组红色楼房。中间是高大的礼堂,主楼分立东西两侧。主楼的东边是体育场,体育场北面是铁工厂、木工厂、印刷厂、发电厂、锅炉房和水塔。主楼北面稍远处,设有小型飞机场,在那里还可以骑马、射击。这就是新建的冯庸大学。

冯庸,原名英,字锁雄,与张学良同庚。父冯德麟为民初陆军二十八师师长、奉天军务帮办,曾拥护张勋复辟。冯庸于1919年入北京中央陆军讲武堂,毕业后在东北军任职,参加过一些战役。1922年东北航空处成立时,张学良主其事,冯任上校参赞,1925年升东北空军少将司令官。可是他无意仕进,却拿出全部家产,在其自办的

大亨铁工厂和大冶工业专科学校的基础上,创建了冯庸大学。他自任校长,而且事无巨细,必躬必亲。每日起早睡晚,粗食淡饭,还时常穿上工装,和同学们一起到工厂做工。有人说他放着将官不当,是自讨苦吃;也有人说他沽名钓誉,怀有政治野心。他自己却解释说:“我父亲的财产来得不义,不义之财应用在有益的地方”,“国运之根本在于人才,而人才在于培养教育”。他提出三条教育纲领,一曰奉行八德八正(孝悌忠信礼义廉耻),尊德性也;二曰以工业救国,端敎用也;三曰教育机会均等,弘作育也。对学生实行军训,重视体育锻炼。

冯庸平日住在学校,细心考查教师的教学能力和学生的学习情况,并订立许多规章制度,上下一体执行。早饭前,召集学生列队操场,注视东南方(南满铁道),冯庸站在最前列。当长春开往大连的火车驶过时,他便转过身来对学生们说:“同学们,看到了吧,从我们面前过去的是外国火车,竟可以在我国领土上自由行驶!我们应该发奋图强,收回主权,以雪国耻。”他就是这样重视实地教育。

“九一八”事变第二天,冯庸被日军拘捕。他拒绝本庄繁高官厚禄的诱惑,表现了一个中国人应有的气节。后逃出虎口,回到北平。1932年“一二八”淞沪战起,他又组织冯大义勇军南下参战。可惜由于日本帝国主义的侵略,冯庸大学仅存在了短短的五年。

《苏武牧羊》歌曲的由来

郁其文

《苏武牧羊》一歌，在三十年代已传唱于长城内外，大江南北，同时被灌成唱片，许多学校还把它作为音乐教材，教学生咏唱。至今这首歌仍有一定魅力，1989 年出版的《华夏正气歌选》也选辑在内。其歌词通俗易懂，感情深沉，格调激昂，表现了中华民族热爱祖国、坚贞不屈的高尚节操。

然而《苏武牧羊》歌词的确切由来，却鲜为人知。经过我多方考证，此歌作者为我的同乡，辽宁省盖县的蒋荫堂先生。

蒋荫堂，名麒昌，字荫堂。清咸丰十年(1860)出生于盖县东部山村贫苦家庭，长大入私塾学习。因他博学多才，光绪二十八年(1902)盖县成立辰州书院时，被聘为讲师。民国初年，盖县成立师中学校，又被聘为国文教员，慕名就学者甚多。他的学生中出了许多名流，如刘话民、傅宝山等是省内外的名学者；沈延毅是名扬全国的书法家，曾任沈阳文史研究馆馆长。沈先生在逝世前对蒋先生创作《苏武牧羊》歌词的经过，记忆犹新。

民国三年(1914)秋，盖县三江会馆、山西会

馆等依例请外地京剧团演戏，福建会馆则邀请河北乐亭皮影剧团。盖县师中放假一天，令师生观剧。乐亭皮影戏的音乐，抑扬顿挫，十分动听，学生们很感兴趣。该校音乐教师陈明道仿照皮影曲调，创造了一支乐谱。可是他不能作词，同学们便去请蒋荫堂老师执笔。当时蒋先生正在讲授苏武传的古文课，对于清末民初，若干执政者在处理外交事务时的卑躬折节、割地赔款、卖国求荣等种种丑态，深有感慨。他当即答应下来，以苏武出使匈奴坚贞不屈的精神为对照，一挥毫写下了《苏武牧羊》。蒋荫堂先生创作此歌时年五十六岁，十二年后即民国十五年(1926)与世长辞，终年六十八岁。先生逝世后，1929年，刘话民的名著之一《一苇轩诗剩》付印，第十三页有七律一首，题为《蒋荫堂先生》，非常明确地提及蒋老师创作了《苏武牧羊》一歌。原诗如下：

春风化雨菩提心，方皂方苞灌溉深。
紫蟹黄鸡成往事，绿闺白发感知音。
空留苏武歌千古，长忆苕生泪满襟。
天上人间何历历，辰州故老杳难寻。

九年前，沈延毅老先生还写了《有怀〈苏武牧羊〉歌词作者蒋荫堂先生》一诗：

一老当年喜赋诗，弦歌绛帐最堪思。
白头弟子今犹在，独对沧桑唱旧词。

《苏武牧羊》由于在民间传唱日久和印刷校对不精，歌词中有一些错误。笔者根据少年时代学唱片记得的词句及蒋先生弟子陈世荣的追忆,将原词恢复如后,以供参考。

苏武留胡节不辱。雪地又冰天,穷愁十九年。渴饮雪,饥吞毡,牧羊北海边。心存汉社稷,旄落犹未还,历尽难中难,心如铁石坚。夜坐塞上四听,笳声入耳恸心酸。

转眼北风吹,雁群汉关飞。白发娘,望儿归,红妆坐空帏。三更同入梦,两地谁梦谁。任海枯石烂,大节定不少亏。能叫匈奴惊心碎胆,共服汉德威。

《惜别歌》及其作者

郁其文

在东北沦陷后期的四十年代,社会上流行一首《惜别歌》。歌词分三段,录之如下:

红烛将残,瓶酒已干,相对无言无言!群羊就缚谁援,长夜何漫漫!共君一夕话,明日各天涯,纵然惜别仍须别,谁复知见期。

如蛾爱火,如萤爱夜,我辈爱难爱难!风波何惧,昂首挺身走向前。擦干腮边泪,脱去绣花衫,温室不是我们的家,要那漫天的风沙。

关山隔,魂梦牵,无翅难翔难翔。遥望云天,思念故人泪沾裳。愿君多勉励,愿君

多欢颜。只要心心永铭记，相隔两地又何妨。

这首歌词不仅哀婉缠绵，更主要的是把东北人民共赴国难，反抗日寇的激情，表达得极为深刻，因而激起广大东北同胞，首先是青年的共鸣，被誉为《东北松花江上》的姊妹篇。

《惜别歌》原名《风沙之歌》，乃东北作家黑风(孙北)、安犀共同创作。1941 年秋，他俩在锦州送鹤琴和鹤书去关内后方抗战，临别之夜，四个好友举杯畅饮。席间黑风、安犀联句，写出前两段歌词。黑风返回沈阳，又续作了第三段。歌词谱成曲子后很受群众欢迎，辗转传唱，风行一时。1943 年末，黑风因演出《怒吼吧，中国！》一剧，在日本特务逮捕他之前，逃往关内。

遗憾的是，至今尚未查明此曲为何人所谱。

《五月的鲜花》响彻大地

王庆丰

1935 年 12 月 9 日，阎述诗在北平目睹爱国学生在军警刺刀下流出了鲜血，悲愤之情郁结于胸。就在此时，有个学生拿来《五月的鲜花》歌词，阅读后十分激动，立刻给以谱曲、传唱。后来他在日记里写道："我不知词的作者是谁，但'志士的鲜血'和当时的感情起了共鸣，因而成谱……如果挖掘一下动力，也可以说是潜伏在我心里的一点抗议。”

阎述诗，名绍璩，以字行，1905 年生于沈阳。幼年就读于文汇书院，后来到北京汇文中学和燕京大学读书。自幼喜爱音乐，并有强烈的爱国激情。1926 年回沈阳在同泽女中教授数学时，便约集一批音乐爱好者成立东北第一个业余音乐团体——谐声音乐团。他是组织者，也是指挥、演员和作曲家。他创作的歌曲，现在能收集到的将近四十首，大部分刊载在他主编并亲手刻印的《遏云》和《白雪》音乐周刊上。他的《梦里桃园》、《疯人泪》、《孤岛钟声》、《高山流水》等小型歌剧，表达了他对军阀混战和帝国主义侵略的深切憎恨。“九一八”事变后，他不顾个人安危，向“国联调查团”提供过日寇的罪证，同时又参加了为支援东北义勇军的“一分钱捐献”活动。1934 年秋，他借大东门外礼拜堂公演他写的抗日歌剧《风雨之夜》，并充当剧中主角。当友人告知他敌特已包围剧场，即将逮捕他时，他还是坚持演到终场，随后化装脱险，潜往北平。

解放后，阎述诗在北京从事教育工作，曾被评为北京市先进工作者、特级教员，1963 年 11 月 24 日因病逝世。《五月的鲜花》词作者光未然，从一位教师来信中得知，他寻了多年而终未晤面的谱曲者，竟是这位不愿抛头露面、终生勤勤恳恳的教师。光未然回想起 1937 年 5 月，在上海各界救国会组织的一次群众集会上，冼星

海在台上一句一句教唱《五月的鲜花》的情景，仍然感动不已，他自己就是那次学会唱这首歌曲的，他说："歌曲反复的唱，群众非常激动，我们都是含着眼泪唱的。"这首歌曲一直唱到日本投降，唱到全国解放。如今斯人长辞，而《五月的鲜花》的歌声仍在人们心中回荡。

过本命年的渊源

朱子方

东北地区的满族(包括北京的满族)、蒙古族、汉族都有过本命年的习俗。虎年生人属虎,每逢虎年就是属虎人的本命年。牛年生人属牛,每逢牛年就是属牛人的本命年。其余类推。每届本命年,皆要穿红裤衩,系红腰带,以资纪念。这一习俗始于辽代。

辽代贵族最高统治者有行"始生"礼的"国俗",此礼又名再生仪,或叫复诞礼。按当时规定,只有皇帝、太后、太子及夷离堇(部族首领)方得行此礼,每十二年举行一次,这与十二生肖有关。十二生肖也叫十二属相,是古人的一种纪年方法。即以十二种动物配十二支:子鼠,丑牛,寅虎,卯兔,辰龙,巳蛇,午马,未羊,申猴,酉鸡,戌狗,亥猪。十二属相起于北方诸族,沿用于全国,并通行东南亚各地。以十二属相纪年,递相轮流,周而复始,故辽代的再生礼也十二年举行一次,以庆“始生”。

据《辽史》记载:契丹“阻午可汗制再生仪”。实际上,一般礼俗大都起自民间,相因成俗之后,才由统治者加以推广和限制。阻午时,契丹族尚未建立国家,其可汗之号系后代“追尊”,自然不可能有皇帝、太后、太子们再生礼的制度。当时可能已有过再生礼的习俗,夷离堇与部民一样过始生之礼。及至耶律阿保机建国称帝以后,才形成由最高统治者四种人独占的制度。阿保机本人并未行过再生礼与柴册礼,就足以说明这一制度是他以后才有的。

从辽代行再生礼的实际情况来看,多不符合十二年一次之制,有的该举行不举行,有的不该举行反而举行,情况颇复杂。比如承天太后在三年之内举行三次再生礼,至少有两次不符定制。行再生礼的人数,后期也有变化。除上述四种人外,又增加了皇孙、皇妃及勋臣。其不符定制的原因有居丧延期、庆祝胜利、优礼功勋重臣及因事因病祭神求福等。辽朝灭亡后,这种习俗又回到民间。也可能在民间的流传从未间断,一直到现在。这就是东北地区满、蒙、汉各族过本命年的由来。辽朝最高统治者行再生礼时，有“太巫奉襁褓、彩结等赞祝之”一项仪式，这就是今人过本命年穿红裤衩、系红腰带的渊源。不过，过本命年的目的已经由庆祝始生而演变为祛灾避邪，保佑平安了。

满族旧俗——祭索罗杆

李燕光

索罗杆，一作“梭龙杆”，《清文鉴》释为还愿神竿。清代盛京皇宫的清宁宫与北京皇宫的坤宁宫，都在宫外东南角立有索罗杆，八旗人家也在东南角立有索罗杆。长约七八尺，顶端削尖并涂红色，距顶端二尺处，安一方形锡斗，内装五谷杂粮。在满族聚居区，至今仍有遗存的索罗杆，这也是区别满汉的重要标志之一。

八旗满洲祭天，就是祭索罗杆。相传努尔哈赤一次战败溃逃时，在树窟窿藏身，一群乌鸦随即落满树上，使他未被追兵发现，得以生还。后人便在院内立索罗杆，斗内蓄米，以谢乌鸦救驾之恩。祭祀时，主祭人用好秫秸三根，用绳扎九道，立在大门东，前面放一张桌子，上供小米、高粱各一碗，以备乌鸦来食。又命人将猪捆上抬到索罗杆前，执猪耳，扶猪走三步，使猪头向外，左耳朝上。主祭人向猪耳灌水，猪耳一摇晃，谓之领牲(即得灵性之意),阖族人向主祭人贺喜。然后宰猪剥皮,煮熟,割成大块肉和猪头一个,灌血肠一条。首先献上猪头,其他顺序献上。惟有猪皮用豆秸火烤,烤好煮好,盖在槽盆上,像一只整猪形状。阖族人叩首,大家吃肉。不摆桌子,不使筷子,不吃葱蒜,表示不忘祖先风餐露宿的艰苦生活。供索罗杆桌上的碗中肉片,切成小肉丁,和小米煮成稀粥,名小肉粥。屋内也做一锅,不准内外乱吃。内外两餐完毕,将猪喉骨套在索罗杆尖上,把猪骨都送到郊外。小米、高粱撒在大门东边,叫乌鸦,喜鹊来吃。

满族旧俗——供祖宗板架

李燕光

供祖宗板架,俗称供板子,这是清代八旗人家特有的习俗。在盛京皇宫的清宁宫与北京皇宫的坤宁宫,都在西墙上安有供神仙的板架。八旗人家正房建有蔓字炕(即南西北三面火炕,西炕窄狭,下通烟道,不住人),西墙上则供祖宗板架。在满族聚居区,至今尚有此习俗。这就成为区别旗户民(汉)户的重要标志之一。

根据八旗人家许多宗谱记载:八旗满洲通常均供祖板一架,坐西朝东,供三位仙女即恩固伦、正固伦、佛固伦,再加上范察,共计四位;有随龙从征者，特请祖板三架，供肇祖（孟特穆）、兴祖（福满）、景祖（觉昌安）、显祖（塔克世），共计四位。此外还供祖宗匣，内盛宗谱或祖宗画像。每架供木制香碟四个，西墙北边安索绳口袋，小香碟一个，么镇箭一根，带线麻编索绳长三丈二尺，拴五色绸条。祖宗架长约二尺八寸，板长约二尺二寸，上用黄布蒙着。

祭祀程序：头一天祭祖，二天祭索罗杆。分大小祭祀：大祭十月，小祭七八九月。八旗汉军习俗大致相同，惟在祖宗板架上大都供宗谱或祖宗画像，并将祖宗板架安置在正房北墙之上。

实胜寺跳跶

王世烈

实胜寺全称是莲花净土实胜寺，亦称皇寺，俗称黄寺，位于沈阳市和平区皇寺大街。皇太极征蒙古察哈尔国得玛哈噶拉金佛后，于崇德元年(1636)敕建，崇德三年竣工，雍正四年(1726)重修。占地七千多平方米，是沈阳地区最大最早的喇嘛寺庙。

寺庙系重檐歇山式建筑，屋顶为琉璃瓦镶绿剪边，正脊上正中为象驮瓶。整个寺院以山门、天王殿、大殿为中轴线组成两进院落，寺西北角有座飞檐彩绘的玛哈噶拉佛楼。大殿两侧

有配殿,山门内建钟鼓楼,钟楼上悬挂一口铁铸千斤大钟,敲击时声贯全城,“黄寺鸣钟”被誉为沈阳八景之一。

实胜寺从建寺到解放前,一直香火很盛,每年正月初七到十五和四月十四,十五日举行跳跶大典时更为热闹。跳跶,俗称“跳鬼”或“打鬼”,是佛教喇嘛寺院驱除鬼祟,祝祷国泰民安的一种仪式,目的在显示观音菩萨、护法金刚降伏恶魔的威力。在此盛会期间诵读《地藏经》等护法经文,以促使妖魔鬼怪早日弃邪归正。跳跶者先结队到北塔法轮寺迎接迈达里佛(即如来佛),场面极为壮观。接佛彩车如皇帝御辇,金椅大轮,谓之“太平车”。由两名小喇嘛左右护佛,另有二十名喇嘛,黄帽黄褂,黑靴,骑着响铃彩马,分四面组成队子马来守护彩车。三声起神炮后,太平车起驾,前呼后拥,缓步行进,沿途香案供果和磕头许愿者,不可胜数。大喇嘛率众远迎寺外,顶礼诵经。正月十四日,山门外人山人海。跳跶场中间铺红布一块,跳跶开始,鼓乐齐鸣,喇嘛扮成天神、天将和头戴牛、马、鹿、龙、黑鬼、白鬼等几十种头盔面具的护法神,他们有的高举月牙斧,有的紧握降魔杵,千姿百态,按鼓、铙、箫、管等古乐的节拍,立在大殿前双双对舞跳跶。

正月十五日举行迈达里佛转寺仪式。转寺,就是让迈达里佛坐在太平车上,围绕实胜寺转一圈,在寺外各处搜索和清扫暗藏的鬼蜮余孽。

转寺队伍由大喇嘛带领，仪仗队奏古乐，众喇嘛手持宝剑、铁尺、铁锁链、法铃等降魔法器，边走边舞，口诵经文，神态庄重。转寺毕，即日送佛回法轮寺归位，整个跳跶大典结束。

当然，打鬼驱魔等都是莫须有的事情，但这毕竟是喇嘛教的一种盛典，从歌舞等来看也具有较强的民族色彩和民俗学价值，而除邪辅正，安居乐业，更是合乎人们的心愿，所以这个节日的热闹景象不是没有缘由的。清代诗人缪润绂(字东麟)在《沈阳百咏》中曾这样描写跳跶的实况：

牛鬼蛇神拥作堆，金铙法鼓动春雷。
双双人比游河鲤，齐向龙门跳出来。

这幅景象，至今还印在沈阳老人的记忆中。

广宁园丁

李燕光

辽宁省北镇(广宁)县盛产水果，清朝内务府在此设立果园山场，征收果品。果园山场的壮丁称为园丁，即属于内务府的差丁。

前期广宁有果园七十五处，果子山场三十四处，土地千余亩，差丁近两千人。

园丁不仅身受封建剥削，在社会上也低人一等，实际上是内务府的包衣，也就是奴仆。人身依附关系很强,被严格地束缚在果园山场里,丁口繁衍,留在本园,遇缺补充。每三年编审一次,新丁到十六岁增入,旧丁到七十岁开除,不许隐漏少报或冒入民籍,逃亡注册,甚至园丁的婚姻也受到严格限制。皇帝可以连同果园山场一齐把他们分赐皇子与功臣。内务府还设有惩办包衣的刑司,它不同于汉人或旗人的审判机构。1745年清政府曾规定内务府官庄人丁可“出旗为民”,让他们取得农民身份。没有出旗的人丁仍纳粮奉差,但也在向封建租佃关系过渡。1905年大放锦州官地,园丁可任人交价承领为民,这是彻底改变园丁奴仆身份的改革措施。

清末锦州地区的养马庄头

李燕光

清朝北京内务府和盛京内务府都统辖大量皇庄(即内务府官庄),分大粮庄头和纳银庄头两种。惟独锦州地区还有“养马庄头”,因为邻近设有内务府管辖的大凌河牧场,占地近万顷。1791年乾隆皇帝命令:在增设官庄时,除按例分等纳粮外,还要喂养马匹。从此官庄增添了一项马差。据北镇《陈氏族谱》记载:“良马万匹,敕锦州副都统管下,设立牧群衙门翼领等官,专司牧养。冬季则分拨各庄喂养。”马场也有规定:所有马匹每年冬季出牧场，分拨各庄喂养，立夏回牧场。马放牧时分四十八群，每群三四百匹，养马所需草费、黑豆由粮庄应交赋额中扣除。在宣统元年八月编造的《掌仪司广宁三旗马差壮丁名册》中，列举了北镇县马差壮丁姓名；据后来调查，中安堡于台村穆氏先人，前五粮乡杜氏先人都是养马庄头，每年冬季养马四个月，皇帝用马时，就将马赶走。么五粮乡陈氏有两名养马庄头，在乾隆年间养马上万匹。盘山、北镇、台安交界处是牧场，王窑前有马道，居民开荒、种草、养马，也种庄稼。

光绪三十二年(1906)，大凌河牧群总管衙门和锦州粮庄衙门撤销。民国四年(1915)奉天设立清丈局，制定《丈放内务府庄地章程》，丈放庄田，当年起科，凡粮庄、银庄、果园、山场、马场等各项粮差，一律免除，养马庄头也随着退出历史舞台了。

天齐庙会

庞敏丽　王世烈

解放前，沈阳最大的庙会是天齐庙会。天齐庙兴建较早，康熙十二年(1673)，经天齐庙第十代住持了心募化集资，将庙址由大东门移至小东门外。新庙占地约三万平方米，共有祠宇六十

间，庙门临小东路。山门内供奉四大金刚神像，形态威严。门前两根高大旗杆，为张作霖五姨太张雅君还愿重修天齐庙所立。庙内主要立有十殿阎君像以及东岳天齐大帝、天齐娘娘神像。建庙以来，住持共传二十七代。

天齐庙会日期每年农历三月二十六日至三十日或四月初一，历时五六天。传说三月二十八日是天齐大帝黄飞虎的生日，也是庙会最隆重的一天。这天城内的大商号放假，照顾店员逛庙会。庙会期间，西起小东城门，东至小东边门，约二里路远近均为庙会占用。道路两旁排满各种商号及小贩，庙前、庙后和庙内空地有各种杂耍和戏曲表演，庙内和尚将出租这地皮作为一项财源。

沈阳的小吃在庙会期间品种最多，招来大批顾客。庙会集佛事、贸易、娱乐和游览为一体，集中反映了本地的民俗风情，堪称一大特色。沈阳的老年人至今还在传说着天齐庙会的盛况，而天齐庙会原址已改作他用了。

吉林市群山与四象

张秀材

我的故乡吉林市，四面环山，三面临水，风景绝佳，素有“塞北小江南”之称。

城东的龙潭山，一称尼什哈山，虽不高，却颇奇特：山上的新石器时代文化遗址至今犹历历在目，而四至五世纪高句丽所修筑的城堡，也依稀可辨。在周长2400米的城堡内，有神奇传说中的水牢（即所称的龙潭）和旱牢掩映在葱茏的山林间，吸引着众多的游人。

城西的小白山，如与其他名山比高低，则不过一小丘耳。但它却荣膺了传说中努尔哈赤祖先出生地长白山的替身。清代帝王如祭远祖，就来到这里举行望祭，以其交通便利而易登也。

城南今之松花湖附近的大石砬子，临江远眺，俨然一大屏风。

城北的玄天岭，也称望云山，迤逦以西，则是紧接市区的小巧玲珑的北山。

天造地设，吉林市四周的山，竟被文人墨客乃至堪舆家们与古代五行联系起来，认为这些山对应了天上的二十八宿。七宿为一象，正好四象，即左青龙（龙潭山），右白虎（小白山），前朱雀（大石砬子），后玄武（玄天岭）。于是吉林市的地理形势被说得神乎其神，成了“宝地”。

儿时听长者如是说，印象颇深。及长于舞文弄墨之际，时以此炫耀家乡钟灵毓秀于字里行间。而今年近八旬，做客异地，每念及家乡的群山早岁均曾留有屐痕，总想能有一次重觅的机会，而思及四象之说，未免笑其荒诞也！

沈阳城的荒诞供奉

吴畏

旧时沈阳有不少荒诞的庙宇和神堂，现在已不复存在。以下所记,都是我小时候亲眼见过的。

胡淘气。沈阳城东南角有一仙人洞祠堂,祠内除供奉胡仙外,另有一室供胡淘气。胡淘气为一泥塑人像,骑马,歪戴红缨帽子,身着长衫,外加十三太保式的坎肩,挽着袖口,手持马鞭,白面红唇，是个古典式的纨袴子弟兼小流氓的形象。但仍有名流前来仙人洞奉祀，如咸丰七年(1857) 刑部湖广司员外郎吴可读送的楹联,另外还有于凤至送的木匾等,都颇引人注意。

蝎子精。在原大、小北关之间,俗称九门处,有背城所建胡仙堂一座,堂内上位为琵琶大仙,即所谓蝎子精。传说蝎子精常幻化为一小媳妇上街买线,当时九门处多妓馆,妓女出入,恐招人欺,或借蝎子精之说以自卫欤?

驴神。在小西关孔家店胡同，距回回营不远,有小庙一座,传系碾业公会所修。殿堂中供转神,转神者,驴也。我童年看到时,庙就已残破,从破窗中可望见倾倒的驴像,既无碑碣,又无匾额,俎豆尘封,山门冷落。驴也称神,难怪其香火不盛也。

马神。马神之庙，在小南关下头，风雨坛药王庙前。该处原设骡马市场，有三间小庙，中供马神爷的彩塑泥像，身披铠甲，手执利剑，三只眼睛，形象凶猛。小时去过，不知几时神去庙空，今者连庙的踪迹也不见了。

碾盘姑。砖城东北角的城腰上有仙人祠，祠前有一具盘石，俗称碾盘姑姑，曾轰动遐迩，焚香祈祷，多悬匾额，或布或木均附祀于胡仙祠内。

鬼王。小东边门外的寄骨寺，为存放灵柩处，其院中有一大砖龛，内供一大鬼头，绿面红发，龇牙瞪眼，名曰鬼王，想必是监管诸亡魂的。每逢初一、十五，香火颇盛，寺中多狗，夜晚放出，吠声汪汪，四野茫茫，更增加了恐怖感。旧时沈阳各中、小戏园，除老郎神（祖师）及文、武财神之外，还供有胡、黄、灰、柳、白诸大仙，连会仙舞台、共益舞台演戏时也要给他们燃烛焚香。三四等娼寮同样供奉上述神仙，并多在僻静处辟出半间小屋悬挂水火图，那里又是拷打妓女的刑房，墙上挂有刑具，阴森可怕。

三十七门花会

王恩涛

旧中国的东北农村，有一种群众赌博形式，称作“三十七门花会”，简称“押会”。即局东确定三十七个门类，人们可以随意猜押，赌注多少也随己意。中彩是一得三十，即赌注一元钱可得彩金三十元。押的方法，是预先在一张白纸上写上猜押的门类名称、赌注、押者姓名、地址。附上赌金，再用另一张纸包好，密封上，到赌场投入局东所设的大木箱内，极像今天的投票箱。局东在村子街心搭一彩棚，当天下午两三点钟，站在彩棚里的高台上当众宣布本日出彩的门类，然后指派几个人当众拆箱，开封，边拆边喊中彩或没中，就势把赌金也收了下来，这叫做“拆封”。中彩者自去彩棚领取应得的彩金，未中彩者则自行离散。

这种赌博当时在农村颇盛行，因本人勿须亲赴赌场，把门类写好，封好赌注钱款，可求人代办。既不误农活，又不误赌博。代办者名叫“跑封”，多是孩子。我小时曾多次干过“跑封”的勾当。

这种赌博在农村影响很深，在今天通俗语言中还能听到有关的门类名，兹记录于下：

音会代表观音	元吉代表道士
河海代表和尚	安士代表尼姑
太平代表皇帝	吉品代表官吏
火官代表管火	九官代表高官
天龙代表天空	龙江代表江河
万金代表黄金	有利代表财主
只得代表偷鸡	必得代表骡子
至高代表飞禽	上招代表骑马
天申代表打柴	坤山代表老虎
入山代表瞎子	三怀代表狗
青元代表媳妇	青云代表姑娘
红春代表妓女	永生代表长生
根玉代表男生殖器	汗云代表乌龟
合同代表兔子	占奎代表戏子
光明代表理发	明珠代表珠玉
曰宝代表胖儿	正顺代表渔夫
茂林代表深山	元桂代表杀猪
板柜代表棺材	福孙代表牛倌
井力代表打井	

上述是三十七个门类名及其所代表的事物,列在这里,以供参考。

会局是流动的,一两个月便转移到另个村子。过几个月可能又来一伙,搭上彩棚,顿时又热闹起来。彩棚前后有卖各种小吃的摊床,有卖野药的,有吹糖人的,有耍木偶戏的,有变戏法的。另外医卜、巫术、佣役、技艺之类的人物也云集于此,形成一个热闹非常的小集市。直到太阳

偏西,开封完毕,一切才打烊。

如果到邻村去跑封,赶回本村时,已是炊烟四起的时刻。晚饭时,本村似乎又掀起一个议论的小高潮,无非是几家欢乐几家愁。直到上炕寻梦,才算消停下来。

“九一八”事变后,我离开了东北农村家乡,流浪到关内。听说这种形式的赌博,还持续了几年,何时取消的,我就不得而知了。

八王寺的泉水

庞敏丽

八王寺前身为大法寺,创建于 1415 年。相传努尔哈赤之子、八王阿济格有一次从凤凰城回盛京,途经大法寺,见寺庙残破,遂捐银整修,至 1639 年已修葺一新。大法寺主持感其施舍之恩,建祠祀之。"八王寺"以此得名,成为盛京著名的古刹之一。

八王寺门前偏东五十余米处有一清泉古井,即"八王寺井"。据《沈阳县志》记载:"井泉清洌甘芳,为沈阳诸泉之冠。"泉水如此驰名,内中还有一段历史故事:1778 年 8 月 22 日, 乾隆来盛京拜谒福陵、昭陵。其饮用水是靠骆驼队从北京运来的玉泉水，因路远，水运到盛京时已很混浊。于是侍从人员用一口大缸，在缸中间画上记号，把玉泉水和八王寺井水各倒进半缸，然后用竹竿搅动之。少时，八王寺井水就澄清于缸的上半部，用银勺舀出品尝，比玉泉水更甘洌。乾隆大喜，决定不再从北京运水，改饮八王寺井水。从此八王寺井水被称为御用水，名声远扬。

八王寺清泉被誉为“东北第一甘泉”，究其原因是泉水重金属含量极少，水质特别纯正。用它做豆腐，豆腐白嫩香甜；用它煎中药，药力加强；用它泡茶，茶水甘芳爽口。从前沈阳德泰轩茶馆，每天用一辆马车装八只大木桶，运八王寺清泉沏茶，因而茶客盈门，生意兴隆。其他茶馆也多挂上“八王寺好甜水”的招牌，以招徕顾客。

1920 年，北京市朝阳门里双合盛啤酒厂的朱晓斋来到奉天，租用八王寺清泉西面三亩多香火地，盖了十余间房子，建起奉天八王寺汽水厂。1922 年初，由朱晓斋、张惠霖、金哲忱等六人，租用八王寺前香火地五十二亩，筹集大洋三十二万元，建立了奉天八王寺汽水、啤酒、酱油有限公司。厂房占地七千平方米，有四条生产线，年产汽水十万多箱，每箱四十八瓶，最高年产量十五万箱。汽水的注册商标为“金铎”，意谓以金钟唤醒民众抵抗帝国主义侵略。所产汽水物美价廉，果然有力地抵制了日本饮料对中国市场的倾销。

斗姥宫与书画道长葛月潭

王世烈

斗姥宫为沈阳建筑年代较为久远的道教宫观之一，坐北朝南，三楹正殿，筑有方形台座，拾级而上，刻有“人天祝圣”四个金灿灿大字的匾额赫然入目，那是始建斗姥宫时，潘真人清真募建大殿，皇三子胤祉(诚亲王)所赐。

斗姥宫主要供奉斗姥元君（圆明道母天尊)，另有金霞圣母像(一说是西面八臂佛)、准提像、观音像、十大名医像、眼光娘娘、药王像等四十余尊。

据《奉天通志》记载：斗姥宫始建于清康熙四十四年(1705)，前身为明永乐七年(1409)修建的“准提阁”。光绪二十二年(1896)起，太清宫方丈葛月潭主持斯院，他多方筹划，得到绅商赞助，大力修葺，用上好笔直的木材，更新榱桷，三十根红漆大柱，顶撑斗拱垂檐，四周雕花回廊托出彩绘飞脊，斗姥宫一改昔日的旧貌，焕然一新。房屋由二十六楹增至一百三十间，占地面积近三十亩。

世人传说，斗姥宫为葛月潭之家庙，此话不无道理。葛月潭字明新，号震庚道人，山东省邱县张家庄人，生于咸丰四年(1854)，卒于 1935

年，享年八十一岁。葛公书画艺术造诣颇深，尤以兰花、隶书著称于世。据说民国五年(1916)沈阳举办蔡锷、黄兴追悼会时，葛公赠挽联一副，联曰“国士无双双国士；完人难二二完人”，曾轰动一时。民国九年(1920)河北、山东战乱，哀鸿遍野；民国十九年(1930)辽西水灾，饿殍触目；葛公两次举行画展，所得数千银两，悉赈灾民。耄耋之年的葛月潭隐居斗姥宫，善度清静淡泊的晚年生活，文房四宝陪伴于几案，俗间挚友、山林道士交游于殿中。为身后之计，葛大真人求精工制造水泥坐龛一具，曾存厝于斗姥宫内，并命笔绘兰，附诗曰：“一花一世界，一叶一仙槎；挥尘东冥去，云天到处家。”画成搁笔而逝。羽化后，太清宫将其“绝笔”字画珍藏，以盛大的道教典礼，送走了自己龙门正宗第二十代传戒师葛月潭方丈，盒龛暂置于斗姥宫内。第二年，坐龛运往千山无量观，殓入葛公塔，以资纪念。

星移斗转，岁月不居。现在，斗姥宫的遗址虽存，但绝大部分房屋已湮没废圮，荡然无存，碑残碣毁，无法考稽。可是斗姥宫与葛月潭却长留在沈阳老人的记忆中。

奉天同善堂

王世烈

解放前,沈阳最早最大的社会慈善团体,当首推同善堂。该堂位于大西关和小西关之间,即现在市红十字会医院院址。同善堂,顾名思义,即施善于民,万善同归之谓。

同善堂的雏形首创于光绪七年(1881),为奉天总兵左宝贵所建,即当时为周济贫民而设的牛痘局、义学堂、栖流所、施粥场、育婴堂等许多慈善机构。光绪二十年(1894)甲午战争爆发,清政府派左宝贵率奉军五千人援朝。由于清军总指挥叶志超贻误了战机,致使左宝贵壮烈牺牲于平壤北城外玄武门牡丹台。为纪念左将军,光绪二十二年(1896),奉天将军依克唐阿将左氏创办的各种慈善事业统一命名同善堂。奉天民众又在德胜门(今大南门)外修建了左公祠堂,春秋祭祀。

同善堂初创时经费拮据,事业进展不大。但它依靠自己的土地、房产、出租铺面的收入,以及社会各界的捐助,得以逐渐扩充与发展,民国十五六年为其全盛时期。积蓄了十数万元基金和一千多亩土地,为开展慈善事业奠定了基础。

同善堂从初创到光绪三十三年(1907),为

奉天督军公署的直辖单位。宣统三年(1911)归民政司管理,为民间事业。此后其上级机关和本身名称屡经变动,到 1932 年才恢复旧名“奉天同善堂”。抗战胜利后,国民党接收了同善堂,直至解放。

徐世昌建奉天公园

庞敏丽

徐世昌任东三省总督时,感到奉天城没有公园,是城市建设中的憾事。乃于 1907 年筹建奉天公园,在小西关外大街路北,就原有官地建成,这是沈阳市第一个公园。占地面积为一万五千四百七十平方米,东西作长方形。“东至京奉新站,西至实胜寺,南至商埠,北至依公祠、积善寺一带”,园四周以矮墙围绕。公园设有四门,按门的方向各建一亭。东门里有“雪亭”,周围杂花遍地,芳草如茵。亭西为鹿圈,喂养牝牡鹿各一只。南门里有“澄心亭”,建筑在水池上,池中蓄鱼数百尾,登亭远望,商埠市廛,尽收眼底。西门里有“众欢亭”,与实胜寺相傍。北门里建“揽辔亭”,悬有徐世昌手书的亭名匾和楹联,楹联为白匾绿字。根据《奉天通志》和《东三省政略》记载,楹联为:“地居欧亚之冲问当代名豪几人经过;亭外山川如绘考岩疆形胜注我怀来。”上联

的“问”和下联的“考”牵动全局，不仅文笔高超，而且也表达了徐世昌对所负重任的心情。

当时公园中有马尾松、龙须柳、白杨、德国槐、大叶桑、玫瑰红等木本植物二千一百余株；有蒲菱、芙蓉、洋菊、蒲荷等草本植物二十四畦。争芳吐艳，幽径荫浓，春夏之交游人络绎不绝。公园西南部设有大鼓书场——“小露天茶社”，其旁为酒店，门楣上悬联一副：“为公忙为私忙忙里偷闲吃杯茶去；求名苦求利苦苦中作乐拿瓶酒来。”当时鼓书大王张筱轩、唱梨花大鼓的黑姑娘等都在这里献过艺。

1916年，奉天巡按使署饬令将该园拨属女子蚕业学校，后又改归省立第五小学，已失“园”之本色，于是在1921年设计重修，更名为“沈阳公园”，被列为沈阳八景之一。1937年伪奉天市公署占园之东半建办公大楼，从此，奉天公园便残破不全，日渐萧条衰落，以至不复存在。

早年沈阳的高尔夫球活动

王庆丰

高尔夫球是以棒击球入穴的一种运动，也是一种高雅的游戏。

高尔夫球起源于十九世纪初叶的欧洲，二十世纪传入中国。1930年初，上海、北京、天津、青岛都建有高尔夫球场，同时沈阳也出现了高尔夫球活动。当时称为野球，因所需场地宽广，多在野外，故名。沈阳电影院罗某在六纬路办个辽宁野球场，为室内式。这时张学良将军主办的同泽俱乐部已从城内迁到三经街孙家大观园。那里也建成一个野球场。场地宽畅，划地为区，别有情趣。

球场分九区，共九穴，每区设障碍物二三不等。各区以关内外地名命名，打球一场，像是做一次沈阳、北京间的神游。其一区为起点沈阳，球由东陵穿城而出。二区是山海关区，表示球已顺铁路越长城进关。三区天津市，四区北京市，五区天坛，六区中山公园，有草木山石。七区北海，球经长桥上坡，穿白塔入穴。八区十三陵，球由石坊入，越丛陵。九区颐和园，球过驼背之桥，登坡入排云殿，殿上佛香阁巍然矗立，是为终点。

开场那天，人们纷纷前往，热闹非常。当时有报导说，一个月后将举行较大规模的公开比赛。不料风云突变，“九一八”一声炮响，一切美好的设想都成了泡影。

此曲只应天上有，人间那得几回闻

——记余叔岩的艺术魅力

李　浴

1936年我在北京读书，课余时间喜看京剧，这年秋天某日，同学佟育智给我一个“招待员”的红绸条子，让我到萧振瀛家看堂会戏。萧振瀛是当时的天津市长，家住北京，这堂会戏乃是为其母祝寿办的，在京的京剧名角全部请到，连余叔岩这位脱离舞台多年、名噪遐迩的谭派传人也在其列。我那位同学之父与萧振瀛为至交，我才得有此良机，真是令人高兴。

我佩上红绸条，在宾客盈门的萧家便得以通行无阻。院子里搭一舞台，台下已座无虚席，我只能站在后面，但离舞台并不远，仍能看得清楚，听得真切。最后的大轴戏是余叔岩先生的《盗宗卷》，这是他的拿手戏之一，但我未看过，不详其内容。我这时发现，余叔岩出场之前，满座已屏气注视，鸦雀无声。余先生一出场，立刻爆发一声"好"，接着又归于寂静，就像有人指挥一样。观众那种情绪紧张、精神贯注，不敢出大气的场面，是我从未见过的。而余叔岩的一唱一念，一举手一投足，也让我这个戏迷感到韵味深长，不敢稍出声息。到了一定节骨眼，又是一声齐好，顿时又静得连一根针落地也能听见。

散场之后，那种激动的滋味不知如何形容为好。我想"夫子闻韶三月不知肉味"，也不过如此吧！

一代名伶的厄运

周仲博

河北梆子、京剧演员程永龙(1880—1948)字云坡，号通海，河北省霸县人。自幼在宝坻县永胜合河北梆子科班学艺，约在光绪二十二年(1896)出科。五十年前曾红遍大江南北、关东三省,是京剧界第三代的老前辈,我的师伯。

程先生工架子花和武工花,后来专演关公戏,因而他经常凝视老爷庙中的关羽塑像,并将其神态表现在亮相上,故被称做“泥胎老爷”。先生也擅长演反面人物、大白脸,如《黑松林》中的潘洪、《逍遥津》中的曹操、《打严嵩》中的严嵩、《铁公鸡》中的张嘉祥等。他扮相魁梧,台风粗犷豪放,把这些人物演得活灵活现。先生的关公戏演得精彩,在于他有时道白中加上点山西口音,如将“上马赠金、下马赠银”的“银”字,念成“赢”,把“蒲州解良”的“良”字念成“两”,都是山西口音。关羽是山西蒲州解良人,演员念出他的家乡土语,确实别有风韵,关羽形象也就活起来了。

先生晚年正是东北沦陷、民不聊生、市场萧条之际,许多班社上座都不景气。加之先生年事已高,家无亲人,因而生活潦倒,困居沈阳。

有一次同行为老先生“搭桌”,就是救济性义演,他自己也参加演出,在《古城会》里饰关羽。然而上座不佳,收入无几,无济于事。1948年,物价飞涨,剧团纷纷倒闭。当时我在国民党二十五师血耻剧团,办公、演出均在奉天北市场中央大戏院,即现在的大戏院。此时先生已贫病交加,不能演出。由于我们的关系,他才得以住进剧团一间布景室,吃剧团的大伙饭。我们同行也只能照顾他一下衣食,医疗则无从谈起。就是在这样困窘的情况下，他还经常在艺术上指点我们。

有一天，我见他在一页一页地焚烧他一生保留下来的珍贵剧本，心中大惑不解。他说："这些都没用了。我们这些人，用着是宝，用不着是草。这是上不养老、下不养小的无义行啊！"说着声泪俱下，伤心已极。面对此情此景，我欲慰无词，欲哭无泪，惟有相对欷歔感叹而已。此后，剧团去辽阳演出，半个月后回沈阳，我再去看望他时，他半卧床上，鼻中带血，已离开人世。一代名伶，竟这样凄惨地结束了他的一生。

京剧红生关外唐

涂雅丽

唐韵笙是京剧唐派艺术的创始人，他多才多艺，能编、能导、擅演、擅教，世有"南麒、北马、关外唐"之说。

唐韵笙原名石斌魁，1903 年生于福州市，祖籍沈阳。其祖父石秀川早年从军，随清军正红旗驻闽，退役后，定居福州。唐韵笙幼年丧父，家境贫寒，随祖父生活。他自幼聪明伶俐，八岁时为京剧艺人唐景云所赏识，收为义子，改名唐韵笙，从此开始了漫长的舞台生活。

他在京剧界活动了五十余年，编演的《郑伯

克段》、《闹朝扑犬》、《二子乘舟》、《好鹤失政》、《驱车战将》等列国戏，早已蜚声艺坛，成为京剧艺术的瑰宝。此外，《艳阳楼》、《铁笼山》、《闻太师夜战绝龙岭》、《刀劈三关》等也是唐派的拿手剧目。他特别擅演红生戏，是继程永龙之后，人们心目中的另一"活关公"。他的红生戏不但唱、念、做、打不落窠臼，就连脸谱、服饰、靴帽、青龙偃月刀也别具唐派风采。

1919年，年仅十六岁的唐韵笙曾应邀在上海天蟾舞台演出两个月。1926年11月20日，上海《申报》刊登了天蟾舞台的大幅广告："重金敦聘，誉满京津，名驰东省，长靠短打，勇猛英俊，全才武生唐韵笙不日抵申。"三四十年代，唐韵笙也曾多次在上海演出。

他外出所演的剧目很多，三出叫座的戏是《夜战马超义释严颜》、《真假包龙图》和《铁笼山》。他自己的私房戏《好鹤失政》、《闻太师夜战绝龙岭》、《尉迟恭归天》、《二子乘舟》等，使上海观众耳目为之一新。唐韵笙是老生，却在演《铡美案》等戏时勾大脸，唱花脸腔。他在《十二金钱镖》中饰俞剑平和李云崧两个角色，唱念打斗都十分精彩。他与盖叫天合演《艳阳楼》时饰高登，手使大刀，与手使双刀的花逢春会阵对打，暴中有稳，慢中有急，不爽毫厘，无空招废式。他与裘盛戎、姜妙香合演《法门寺》时反串刘媒婆，在台上大要近三尺长的烟袋，妙趣横生。这些都给上海观众留下深刻印象，他们称他为"唐老将"，见

他既不是京朝(北京)派,又不是海(上海)派,是从东北来的,所以就送他个“关外唐”的美称。

“九一八”事变后,唐韵笙目睹日寇猖獗,国土沦丧,心中异常悲愤,于是根据古代神话故事“后羿射日”编写了一出京剧,表达抗日的思想情绪。他说:“有良心的中国人,哪个不恨鬼子?我写的剧本是扫除日害,就是冲着东洋鬼子去的。日寇涂炭生灵,我有意用小花脸的数板联弹骂那群野兽,给中国人出出气。”后来他将《后羿射日》改为《扫除日害》,在天津演出多场。1932年上奉天演出时,他乘火车到奉天,王凤奎走小路经营口到奉天。王在营口码头遭到日本关东警察的盘查,《扫除日害》的剧本也被搜出,剧中有“不除日害,国无宁日”的台词。王凤奎被绑到关东警察署,同时也要捉拿唐韵笙。后经奉天共益舞台业主何玉蟒托人说情,才把王凤奎和其戏班兄弟保释出来。蕴藏在唐韵笙内心的怒火,又使他编写了另一出宣扬爱国主义的新戏《闹朝扑犬》。

著名武生周少楼怒斥宪补

周仲博

周少楼,号齐云,河北沧州青县人,出身于京剧世家。父亲周凯亭专工武生,并能编善导。

四十年代初，亦即敌伪时期，奉天共益舞台（今沈阳北市剧场）为东北地区京剧演出中心，来这里献艺的大都有些名气，常演连台本戏，近似现在的连续剧。主要演员有唐韵笙、周少楼、周雅威、周亚川、王奎声、王滨亭、王少伯、周仲博等。可以说，上述每个人都有自己吸引观众的技艺特长。1942 年在这里演出以怪侠小方朔为主线的《怪侠锄奸记》，即彭公案。该剧原是以彭朋断案为主的公案小说，由唐韵笙、周少楼改为除暴安良、杀富济贫的连台本戏，其故事情节大都是虚构的。周少楼饰怪侠欧阳德，戏中有句唱词“人人说我是汗包”，这是因为欧阳德反穿皮袄，头戴昆秋帽，以此表现他有寒暑不侵的内功。有一次，周少楼竟唱成了“人人骂我是汉奸”，当即在观众中引起强烈的反响。这时台下正好有个叫胡喜良的“宪补”（在日本宪兵队当宪兵的中国人的称谓），他立刻到后台兴师问罪，大闹特闹，他说：“你们唱的什么‘人人骂我是汉奸’，那么张景惠是大汉奸，我们都是小汉奸了？怪不得你们这出戏叫《除奸记》呢，原来是除我们这些汉奸哪！这一句是谁唱的？”周少楼挺身而出，说：“我唱的！”胡喜良说：“你这是反满抗日！”周少楼说：“你不要仗势欺人！”胡喜良气势汹汹地要上前打人，这时周围一些骠悍武行都是周少楼的师兄弟，也都摩拳擦掌地对着胡喜良。胡喜良一看寡不敌众，只好自找台阶说：“好，好，你等着！”然后悻悻而去。次日他找到福岛区警察

署的署长，此人随即下令禁演《怪侠锄奸记》。由于这个剧非常吸引观众，票房收入好，故由业主孙福臣出面斡旋，通过送礼请客，进行疏通，才获准将《怪侠锄奸记》改名《彭公案》，继续上演。周少楼怒斥宪补事，在同行中便传为佳话。

家庭票社——晶晶剧团

余　佳

清末民初，“龙头之地”的沈阳，京剧爱好者日益增多。二十年代初，到沈阳演出的京剧班达四十余个。与此同时，沈阳票友也大量涌现。1923年，票友们首建公余俱乐部，以后又陆续组建大东和商埠俱乐部，并称“沈垣三大俱乐部”。不少机关、团体附设了业余剧团，还出现了家庭票社。

1928年，沈阳家庭票社晶晶剧团成立，团部设在二经街大成旅馆经理贾普知内宅。

贾普知酷爱京剧，广交艺人，是沈阳著名票友。他宗余(叔岩)派，工文武老生，精通文武场，有较高的艺术造诣。

晶晶剧团共三十余人，均为贾普知直系亲属，主要演员有子女贾鸿德、贾鸿珍、贾鸿禧、贾鸿懿，号称“贾氏四鸿”，他们活跃于红氍毹上，一时传为美谈。晶晶剧团每次演出，贾普知都亲自司鼓、操琴或粉墨登场,并聘请梁华侬、侯德山、石月明等传授技艺。学习演出剧目有《乌龙院》、《宝莲灯》、《四郎探母》、《法门寺》、《奇双会》、《花田错》等三十余个。

该团除应邀参加堂会、义演外,还到大观、共益等剧场公演,颇受欢迎。曾到帅府为少帅张学良演出《坐宫》、《乌龙院》等。1931 年又应邀去大连献艺,给大连观众留下了深刻印象。

"九一八"事变后,演出渐少。1937 年举家迁居长春,开办一爿商号,名为文业官纸局。经商之余,常受广播电台(当时称放送局)邀请,播放京剧。

堵全山独创奉锣

余　佳

奉锣,以其音色纯正、工艺精湛,驰名国内,产自奉天(沈阳),故称奉锣。其首创人堵全山(1888—1970),原籍河北省抚宁县,幼年家贫,只读过半年书。十七岁来奉天中街甘石桥胡同富发成响铜铺,学做铜器手艺。他为人老实本分,勤奋好学,不久就掌握了制作响铜器的一些技术。这时富发成生意冷落,所制钹、铙、镲及黑边黑脸毛锣,因工艺不精、音声不佳而滞销于市。堵全山认真研究苏锣、京镲的特点,改革工艺,反复试验,终于在1914年研制出独具特色的新铜锣。这种锣有开锤定音之绝,锣身光亮,不留黑边和黑脐,故亦称"光锣"。

光锣分大光锣、二光锣、小光锣三种。小光锣最佳,其直径二十七公分,锣心十公分,敲起来音响高亢、清脆、洪亮,亦称"高音锣"。

奉锣出现后,很快代替了早先京剧文武戏中长期使用的形大体重、音响沉闷、锣槌较大的苏锣。由于奉锣形小体轻,调门高,使文武戏在锣的音调上开始有了明显的区别,打破了原来锣的常规,提高了演奏技巧,推动了打击乐的发展,给戏剧舞台艺术带来了巨大的变化,得到了戏剧界的欢迎。全国贩卖响铜器的商号,如天津的"永福庆合"、北京的"广信号"、上海的"老鸣斋"、浙江的"黄悦泰"等,均纷纷前来定货,奉锣顿时畅销全国。

梆子小科班创始人袁绶卿

涂雅丽

袁绶卿(1880—1962)字鸣卿,人称袁三爷,祖居河北深泽县光复村。

袁绶卿七岁到北京学银匠手艺,1892年来东北谋生。先在铁路上当包装小工,后做搬运工,以身材高大,臂力过人,为同行所敬服,推举为齐齐哈尔至北京铁路沿线搬运工总头领。

袁绶卿文化水平不高，但喜欢文娱活动，好读书、写字。在哈尔滨当脚行时，曾自学俄语，当过口头翻译。与张作霖、张作相、吴俊升等人有交往，颇受赏识，为他们押送军火。与张作霖关系更为密切，每次到帅府，无需通禀，推门而入，被奉为上宾。

1919年，袁绶卿买下沈阳庆丰大舞台，改名鸣卿大舞台，成立京剧、评剧班底，先后聘请唐韵笙、曹艺斌、周亚川、王汇川、王亚伦、筱桂花、白玉霜、筱麻红等来班演出。此外还经营会兰亭浴池，兴建沈阳艺术宫，并出资在四经街、八经街分别为张作相、张学良修建楼房各一处，亲自督工督料。张作相曾许以官爵，被谢绝。

同年7月，袁绶卿从京津和河北任丘、保定等地买来二十多个小孩，聘师教习梆子，由此成立卿鸣梆子小科班。

小科班先后有学生四十余人，其中较著名的有赵鸣启、王鸣山、王鸣义、王鸣琛、田鸣华、筱鸣琴、筱鸣锐等。

教师有：教老生的黄胖儿、马济堂；教武生的杨权林(银娃娃)；教武功的刘福寿、杨德清；教青衣的李双屏；教小生的李济江等十余人。

小科班坐科六年，学习剧目有《铁公鸡》、《铁笼山》、《摩天岭》、《大名府》、《徐策跑城》、《贾家楼》、《天雷报》等。该班学员在入学第二年便可登台演出。袁绶卿曾带师生们为张作霖岳

母王老太太演过寿戏，适逢程艳秋也来此演出，因未带小生，便邀小科班的筱鸣琴给他配戏。

1926年，小科班第一期出科，科班停办。因梆子戏不如京戏叫座，所以出科学生大部分改唱京、评戏。有的离开大舞台到外地搭班；有的留下参加后来的京、评、梆“三合水”或京、评“两大块”的大舞台班底，长期活动于沈阳戏曲界。

雌雄难辨的月明珠

涂人美

评剧创始人之一月明珠，本名任善峰(1889—1922)，河北滦南县人。十一岁时成为警世戏社头班的台柱，评剧剧作家成兆才编写的剧目，多由他与金开芳主演。他扮相俊美，嗓音甜亮，刻画人物细腻。1915年，他到天津演出《杜十娘》等戏，轰动津门，京剧大师梅兰芳观看后也赞叹不已。商绅们赠他一幅贺幛，上画绣着：“明珠新出蚌，一起平腔压倒男伶女乐。”

1921年，月明珠来奉天演出，受到更为热烈的欢迎。打炮演出的第一天，中华茶园坐满了社会名流。更令人注目的是，有两个包厢里坐着一支军乐队，原来名人祖宪庭与月明珠是好友，又很喜欢听落子，因此特意调来军乐队，给月明珠助威。

演出开始，军乐队先奏欢迎曲，气氛之热烈，仿佛迎接总督、巡抚上任一般。接着上演开场小武戏。武戏刚结束，祖宪庭又把军乐队调到台上，连吹带打绕场三圈。再接着是盖月珠的《马寡妇开店》，然后才是月明珠的压轴戏《花为媒》。

这时军乐队用威武雄壮的军乐，把月明珠催上台来。月明珠妆扮风流漂亮，娇柔妩媚，光彩照人。他那柔和细腻的优美表演，和甜润深情的唱腔，像强有力的磁石，一下子就把观众紧紧吸引住了。叫好声、鼓掌声此起彼落，连续不断。观众谁也不会相信月明珠是个男旦。

评剧皇后李金顺

涂雅丽

奉天落子时期，是评剧发展史上一个重要时期。由于女演员大批涌现，各路班社纷纷来到奉天献艺，形成以奉天为中心的各种声腔流派。李金顺、筱桂花、芙蓉花、筱麻红被誉为奉天落子四大名旦，其中李金顺最为突出。

李金顺（1896—1952）原籍天津，其父是高腔艺人。她自幼家贫，十四岁跟随魏联升（小元元红）学秦腔，以后又学京韵大鼓、京剧等。十六岁从师孙凤刚、仉俊生唱评戏。二十年代后，她曾三次出关来东北，并在沈阳组织元顺戏社，流动演出于营口、丹东、长春、哈尔滨等城市。

李金顺的艺术成就，在于她继承和发展了评剧初期以成兆才、月明珠为首的警世戏社的艺术风格，在原来评剧唱腔的基础上，创造了传情真切、细腻新颖的“李派”演唱艺术。她采用了清音起唱、先轻后重的演唱方法。在唱腔的节奏上，大胆突破板头的限制，并采用京韵口白，克服了浓重的唐山口音，而在关键的地方又巧妙地揉进唐山音韵土味，保持了评剧的地方特色。她的演唱讲究声音的控制，根据人物感情需要而时高时低。吐字时先出字后出音，唱中夹白，每出戏都事先设计唱腔和板式。

从她开始，评剧伴奏有了很大的改革和发展。原来的乐队只有四大件。为了加强乐队的力度，更好地渲染气氛，她大胆地加进笙、箫、琵琶和三弦、二胡、月琴、嗡子(即京二胡)等乐器，从而丰富了奉天落子的音乐成分，增强了评剧的感染力，开辟了戏曲音乐伴奏的新路；她这些改革的成果一直留存到今天。

由于李金顺在艺术上的创造性成就，她获得大量的观众，成为东北的红演员，被誉为“评剧泰斗”，“评剧皇后”。

李金顺不但是一位了不起的艺术革新家，而且具有强烈的爱国主义精神。1928年，她带领元顺戏社到哈尔滨演出，当时东北人民正掀起一股反对日本强权、抵制日货的爱国热潮。有一位教师，根据东北真人真事，编写了一个剧本

《爱国娇》,内容是说有位姓闵的豪绅,在日本银行存有巨款,中日关系紧张后,他怕巨款有失,便想把正在读大学的女儿闵爱华嫁给日本银行行长,以便保全存款。这种不顾廉耻和民族气节的行为,遭到闵爱华的严厉斥责和坚决反对,最终她离开了罪恶的家庭。李金顺为排演这出戏,用自己的积蓄购置了服装、布景和灯具,并根据闵爱华的人物造型,剪掉了自己的长发。在排练中她经常对音乐和唱腔加以细致研究,力求创新。1929 年在哈尔滨华乐戏园首次公演,轰动全城。

1931 年,李金顺在奉天大观茶园演出这个戏,连演数日,场场爆满。不久"九一八"事变发生,李金顺只好遣散戏班,不再演出了。

中国第一部评剧舞台艺术影片

涂雅丽

二十年代末,以芙蓉花为主要演员的复盛戏社,在北京打出奉天落子的旗号后,越演越红,在京津地区受到热烈欢迎。

1935 年,复盛戏社一百余人联袂南下。先到南京,在金城大戏院演出。按签订的合同,首先要有顿"下马饭",也就是戏班到达后,剧院招待一顿饭。但前往火车站迎接的剧院老板何元芷

看见他们带着家眷，身穿粗布衣服，土里土气，心里很是不快，便轻蔑地说："来了一帮要饭的！"他不仅没预备饭菜，连接客的车都不派。大家只好从车站步行到剧场。

何元芷对演出没信心，生怕赔钱。为了招揽生意，他特意将芙蓉花的照片扩印了万余张，送给前来买票的观众。

开戏后，竟一炮打响。金城大戏院有座席一千八百余个，连演两个多月，场场爆满，轰动金陵。浦口的铁路工人有许多来自河北唐山，他们闻讯后，竟不惜从北岸乘渡轮或小船过江看戏。

戏院老板口袋里装满了钱，乐不可支。为弥补初次相见时的失礼之处，他给全班人员摆了丰盛的庆功宴，并送去一幅贺幛，上面绣有红芙蓉花和"赠给评剧大王芙蓉花惠存"几个大字。

1936年2月，复盛戏社进上海。首先在恩派亚大戏院，以后又到新世界礼堂和永安公司演出，都很走红。当时永安公司同时放映电影和上演京剧，观众买张门票进去，可以随意选看，惟独看评剧要另买门票。

由于演出非常受欢迎，上海商会敲锣打鼓给芙蓉花送去一面锦旗，上写"蹦蹦有趣"四个大字。上海《申报》用大幅版面刊登广告，宣称"特斥重金另聘名震华北初次南来时装古装青衣坤角美艳名旦芙蓉花"。

不久，上海唱片公司邀请芙蓉花录制了唱

片。紧接着,上海天一影业有限公司又邀芙蓉花拍摄了我国第一部评剧舞台艺术片《杜十娘》。影片采用戏中戏的手法,表现一个大官僚在家中举行宴会,邀请评剧名伶演唱《杜十娘》中的“船头撇宝”一折。由芙蓉花扮演杜十娘,赵亚荣和王万良分别扮演李甲和孙富。芙蓉花拍片期间,与电影明星胡蝶、夏佩珍相处甚好,彼此结为姊妹,曾合影留念。

1937年8月9日,沈阳光陆电影院首次放映了这部影片。

《花为媒》一唱惊汉奸

涂雅丽

奉天落子时期的著名评剧演员钰灵芝(高秀蕃),1913年生于沈阳。她自幼父母双亡,为还清家中欠下的高利贷,被典押于戏班,跟随评剧艺人马虎庭学戏。她十五岁登台,《花为媒》是她的拿手戏。

1933年,钰灵芝到哈尔滨演出。当时东北人民抗日怒潮汹涌澎湃,她和一些进步大学生合作,把古装戏《花为媒》改成时装戏,在唱词中加进了许多宣传抗日、声讨汉奸的新内容。例如,她在“报花名”段中唱道:“正月里开迎春,春光正浓,孙中山起革命推倒前清……七月里开桂花，桂花正香，有金钱助一助马占山的军饷……"

改编后的《花为媒》受到观众的热烈欢迎。马占山部下一位军需处长听了戏很感动，特意到戏班看望大家。他说："你们的唱词改的好哇！你们不愿意当亡国奴，能把旧词改成新词来演唱，这也是支持抗日，太好了。"

钰灵芝和伙伴们很受鼓舞，他们走到哪里就唱到哪里，并且不断补充新内容。

不久，钰灵芝到铁岭演出。头一天刚演完《花为媒》，正卸妆时，有几个横眉怒目的彪形大汉突然闯到后台，不容分说，就把钰灵芝强行架走，关进班房。大家一时被弄得莫名其妙，不知得罪了谁。后来托人打听才恍然大悟，原来钰灵芝唱的"报花名"触犯了当地的县太爷。唱词是："六月里开荷花，荷花正青，张大帅临时出了北京，挂专车来到奉天省。狗特务勾敌人把火车道来崩，登时大帅丧了命，张学良为报父的仇，枪毙了杨宇霆……"铁岭县县长是杨宇霆的外甥，他哪里肯让钰灵芝这样公开贬斥他的舅父？

钰灵芝给关押了三天才保释出狱，她的戏班被勒令立即离开铁岭，不得再来。

钰灵芝满腔悲愤，离开东北，而把评剧这个北方剧种从上海带到云贵高原、四川盆地。

萧军与《马振华哀史》

余　佳

“九一八”事变后，以筱桂花为台柱的警世戏社三班垮散了。班主辛国斌与筱桂花、筱荷花等困居于奉天北市场共益舞台楼上。不久，辛国斌领他们到哈尔滨搭班唱戏，但观众很冷落。为改变这种局面，须编演新戏，但一时又找不到编写剧本的人。

辛国斌之子辛建侯，自幼喜欢武术，在奉天开设一个武术馆，结识了一位青年人叫刘蔚天。此人不但爱好武术，也喜欢写文章，曾以“酡颜三郎”的笔名发表了第一篇小说《懦》。他便是名作家萧军。

萧军当时困居在哈尔滨一家小旅馆内，一日在滨江国术馆遇见辛建侯。建侯见萧困难，便请他到辛国斌的戏班里来住。萧搬来不久，筱桂花听说他会写文章，就请他编剧本，并把上海出版的小说《珍珠根》的故事讲给他听。情节是说上海某纱厂女工马振华受一个大资本家子弟汪世昌欺骗后又被抛弃，走投无路，最后含恨投黄浦江而死。萧军很快将剧本写出，取名《马振华哀史》。筱桂花饰主角马振华，萧军亲自导演。

该剧在哈尔滨平安电影院首演，立刻轰动

了北国江城。演出时萧军总是坐在前排,待到唱得激昂慷慨时,他总是第一个鼓掌。这是筱桂花从艺以来所演的第一出现代戏。这戏越演越红,班主辛国斌赚了许多钱,但只给萧军一件夹袍布料作稿酬。

萧军在戏班里,了解到筱桂花等女演员都是因家庭穷苦,从小被卖进戏班的。他对她们的身世深表同情,经常开导她们要掌握自己的命运。

班主察觉了萧军言行对演员们的影响,十分不安,便找一借口把他赶出了戏班。然而他编写的《马振华哀史》却被许多戏班争相上演,还由钰灵芝带到上海去演出。1934年秋,筱桂花东渡日本,百代唱片公司在东京为她录制了《马振华哀史》唱片。这出戏不但受到观众的欢迎,也成了评剧的保留剧目。

筱摩登与《戒毒大观》

涂人美

评剧演员筱摩登原名钱玉舫,艺名花玉舫,1922年出生于天津。她七岁起先后从师张柏顺、李其红学评戏,十三岁出师。曾与爱莲君同台演出,深受爱派艺术的影响,又兼受李金顺派、刘翠霞派的熏陶,又独具特色。1934年,她到河北宝坻县搭班唱戏。为使服装、化妆引人注目,她别出心裁,把戏装的裙袄都用兔毛镶边,点缀上星星花。演出《马寡妇开店》时,她还在头饰的顶花里装进一圈小电灯泡,出场亮相,按动电钮,小电灯就亮了,台下观众齐声叫好:“啊,真摩登!”从此她得了个“筱摩登”的绰号。

筱摩登戏班里有个能编写剧本的演员,名叫筱侠松。他根据筱摩登擅长演现代文明戏的特点,给她编了一出《戒毒大观》。内容是劝诫国人要自爱自强,不要吸毒。由于题材现实新颖,加上筱摩登别具一格的表演,上座率空前,连演三个月,场场爆满。一些大小官吏听到消息后,也纷纷带着妻妾赶来看戏,他们认为剧本编得好,特对剧作者筱侠松予以奖励,演出期间,每日奖给大烟泡两个,令人哭笑不得。筱侠松当然不会接受这种奖励,但《戒毒大观》还照样演下去,给观众带来教益。

复盛戏社与奉天落子

余　佳

复盛戏社是奉天落子时期东北八大班社之一,1926年成立于沈阳市南市场商埠大舞台,班主高景山。主要演员有芙蓉花、花云舫、李小霞、十三妹、王万良、王万昌等一百多人,阵营强大。

复盛剧社还经常外出到哈尔滨、丹东、大连等地巡回演出，拥有《马寡妇开店》、《杜十娘》、《珍珠衫》、《桃花庵》等等六十多个剧目。

1929年复盛戏社首次到天津演出，先在法租界欣欣舞台上演，唱红后又到南市第一舞台等处演出。《保龙山》等剧目连演数月，红极一时。

此时评剧演员白玉霜正在北京献艺，一天，北京市长阮良邀请她到家中打牌，白玉霜借故没去。阮良恼羞成怒，以白玉霜演出《拿苍蝇》有伤风化为借口，把在北京公演的落子演员全部驱逐出境，并下禁令：凡属落子班社，今后一律不准进北京。因而复盛戏社未能进京演出。

1929年张学良进北京后，阮良下台，原东北本溪湖煤矿督办周大文出任市长。北京三庆戏院老板马玉亭利用当时东北人在北京的政治优势，呈请市政府批准复盛戏社进京，说是从奉天邀来的奉天落子班社，曾给大帅祝寿演出过，当局很快就批准了。

复盛戏社贴出海报，第一次在北京亮出“奉天落子”招牌，到京演出的其他落子班也纷纷起而仿效。从此，“奉天落子”便成了当时落子的通行叫法。

奉天落子演出基地
——大观茶园

涂人美

被称为清朝陪都的奉天，自光绪末年起开始繁荣，戏曲活动也进入兴盛时期，演出场所随之增多。光绪三十二年(1906)约有茶园二十余处。

茶园，是专供戏曲班社演出的场所，是一种比较原始的剧场。观众席分设茶座、包厢、散座，多数观众可边喝茶边看戏，故称茶园。

大观茶园开设较早，坐落在北市场中心区，1922年初由何福臣、王振阳等合资建成。1935年后由王兆琛、李德元等经营，翻修后改为砖木结构的二层楼房，股东共十七家，计一千一百个股份。

大观茶园自营业开始，一直以演评剧为主，是奉天落子的主要演出阵地。东北有名的评剧班社警世戏社、二班、三班、复盛戏社、洪顺戏社、元顺戏社，及李金顺、筱桂花、土金香、筱麻红、芙蓉花、钰灵芝、刘鸿霞、刘艳霞等名角，无不在此落脚演出。当时有这样一句话："演员一把大观进，犹如鲤鱼跳龙门。"因此，凡在大观园

成名的演员，即可红遍全东北。

1931年，日寇在沈阳推行殖民主义文化政策，成立以日人为主的"演艺协会"，各剧场均由他们严密控制。常驻大观茶园的日人叫西村，他在那里横行霸道，中国人恨之入骨。

1945年祖国光复后，艺人们组织起来，保护剧场。一天，守卫大观茶园的评剧艺人李济忠等，发现剧场天棚冒出浓烟，他们断定可能有人放火，于是大声呼救。刘文华首先爬上梯子，但天棚口被牢牢堵住，无法推开。此时忽然听到西村在天棚上说话。大家用力将天棚小门踹开，西村果然在天棚上。原来他以为日本侵略者还会东山再起，等了几天，幻想破灭，绝望之余，便起意烧毁剧场，准备自焚。艺人们当时把他擒住，把火扑灭，大观茶园业主深受感动，把剧场交给他们管理，戏社改成份子班，业主和艺人一样按份子拿报酬，大观茶园很快开始营业了。尽管当时社会秩序比较混乱，看戏的人不多，收入也低，但剧场管理得井井有条。

1948年沈阳解放，人民政府接收了保护完好的大观茶园，不久又派出东北文协评剧工作组与茶园班底合作，筹建了我国第一个国营剧院"唐山评剧院"，为后来成立全国重点剧院之一的沈阳评剧院奠定了基础。

筱桂花与“大舞台义地”

涂雅丽

沈阳市东陵区英达乡的后山坡上，有一片葱郁小松树掩映着的坟场，这就是有名的“大舞台义地”。

这块义地，是和奉天落子著名演员筱桂花的名字紧紧连在一起的，它使人想起她精湛的表演，激越的唱腔和急公好义的品德。

1943年，筱桂花在城里大舞台演出。一天，人们告诉她，曾经给她打过梆子的艺人老八，因年老多病，无人照看，饿死在阳沟里。人们要埋葬他，却找不到一块坟地。这件事深深触动了她，使她联想起许多艺人生无立锥之地，死无葬身之处的悲惨命运。她含着眼泪对兄弟姐妹们说：“咱们艺人被业主当成摇钱树，一旦病老身残不能演出，就被一脚踢出门外，死后连块葬身之处都找不到，下场实在太惨了！咱们联合起来义演募捐吧！为死去的人买块坟地。”

同行们很赞成，于是由筱桂花出面，要求大舞台业主袁绶卿允许艺人义演三天。袁绥卿同意了他们的要求。

义演期间，筱桂花天天登台，演出拿手好戏《孟姜女》、《保龙山》、《马振华哀史》等，得到观

众的大力支持。

义演结束后，筱桂花在会兰亭浴池一位拉炉灰老工人的帮助下，用义演全部收入在英达乡买下一块约有五亩的坡地，作为艺人公墓。还竖起一块高约六尺，宽约二尺的纪念碑，正面镌刻着“大舞台义地”几个大字，背面刻有碑文和捐助者的姓名。这是沈阳地区有史以来头一块艺人义地。

霍树棠与东北大鼓

李燕光

霍树棠，满族，1902 年生于北镇县高力板乡。十四岁拜冯景和为师，学唱东北大鼓。他勤奋好学，进步很快。第二年随师傅到辽阳、沈阳各地演出，便崭露头角。因嗓音洪亮动听，听众送他一个绰号“火车头”。出徒后，他对东北大鼓多种曲调兼收并蓄，取其所长，苦心揣摩，形成自己的独特风格。三十年代，他的演唱曾在沈阳风靡一时。他与东北大鼓几乎已合二而一，一提霍树棠便令人想到东北大鼓；一提东北大鼓也会使人想起霍树棠。

他为了将东北大鼓艺术再提高一步，在继承传统的基础上，大胆革新。他运用手、眼、身、法、步的有机结合，改变了重说唱轻表演的成规。他还从曲腔板式入手,吸收其他曲艺板眼变化的演唱技巧,使唱腔刚柔并济,具有东北曲调的特色,既适于低吟浅唱,又可以引吭高歌,更便于表现人物风貌和性格特点。

霍树棠对东北大鼓的改进、提高和完善,贡献是巨大的,可以说是东北民间艺术的一个代表。他不但技艺高超,而且艺德也高尚,收徒授艺,诲人不倦,为东北大鼓的发展做到了“鞠躬尽瘁,死而后已”。

名馆二酉轩

杜宏博

在沈阳市除庆仙楼、恩德园外，回民馆中影响较大的就数二酉轩了。

民间流传一个关于二酉轩的故事，说是清代著名学者纪晓岚曾客居沈阳，他离去时留下五百两银子，作为两个家人看管门户的费用。此后由于公务繁忙他再没回沈阳。两位家人中有一位李姓的是回族，他见坐吃山空，势难久长，乃与另一家人合开一个回民饭店。他们想起纪晓岚客居沈阳的书斋名二酉轩，便以此名店，以示纪念。此传说真实否，因年代久远，已无从稽考。1913年,在庆仙楼学徒出科的任立山,果真据此传闻,将他开设的饭庄命名为“二酉轩”,并亲自司厨。后来的厨师石岩松也曾学厨于庆仙楼,故二酉轩的烹饪特色与庆仙楼如出一辙。二酉轩初创时只有一间门面,后盈利渐多,又增修了二楼。1943年,任立山将二酉轩兑给自幼在这里学徒出科的杨荣升。杨为人精明,尤善交际,买卖愈做愈兴旺,于是将楼上楼下均增至三间铺面。

二酉轩以烩菜、扒菜为主,菜味清淡爽口,久食不腻。当其鼎盛时期,庆仙楼早已停业,故在沈阳回民饭馆中,除恩德园外,无一家能与二酉轩媲美。它制作的全羊席达一百二十八道菜,系选用两只羊的肉和三四副羊下水烹制而成。上自羊头,下至羊蹄、羊尾,无不成菜。单是羊头,即可做出烧羊脑,烩羊脑等十多种佳肴。用羊耳做成的“千里风”、用羊眼做成的“羊眼口蘑”、用羊舌做成的“扒口白”等等,均冠绝一时。

二酉轩有三个配套品种,名闻遐迩。其一为羊汤花卷。汤叫全羊汤,用料除羊下水——肝、肠、肚、肺外,还有羊脑、羊头肉、羊蹄、羊尾等,再用羊骨吊成的鲜汤烧开,放入胡椒粉、香菜段,肥而不腻,堪称羊汤之最。其二为烧羊肉筒子饼。烧羊肉配上起层软饼,鲜香无比。其三为金丝饼和酸辣银丝汤。金丝饼系丝饼,酸辣银丝汤是用羊肚煮熟后,切成细丝烩制而成。肚丝洁白如银,故称银丝。

马家烧麦

杜宏博

马家烧麦馆是沈阳城开设最早、至今仍保留其旧有店号的著名风味餐馆。其所制烧麦，鲜香味美，风味独特，1983 年被市政府命名为沈阳市名牌食品。

清代嘉庆年间，回民马春以独轮小车经营烧麦，于奉天府(沈阳)热闹街市上，边做边卖，是个盈微利薄的小本生意。至道光八年(1828)，马春之子马广元，始于外攘门(小西城门)拦马墙外，开设简陋门市，从此挂起了马家烧麦馆的牌匾。光绪年间，总兵左宝贵(回族)奉命整修外攘门，马家馆恰当施工要地，例需拆除。左宝贵俯察民情，体恤商艰，乃于近处另赐一地，允其重建门市，马氏商号才得以延续。左宝贵后在中日甲午战争中壮烈牺牲，马家闻悉，阖府痛悼，思念良深。

经营多年，马家烧麦名声渐扬，特别是四世传人马铭卿继承父业后，对和面、制馅等工艺诸多改进，使马家烧麦形成了自己独特的风格。就餐顾客，多有赞誉，因而得名。

解放初期，马家烧麦馆因故停业，1956 年公私合营时重新开业。现任副经理马继庭，系马铭卿之侄。多年来,他与面案师傅共同切磋,研制出三鲜、凤脯、什锦等十几个品种的烧麦,为继承和发扬传统食品做出了贡献。

宝发园的四绝菜

宝　英

坐落在沈阳市大东区小东路小什字街的宝发园菜馆,以烹制独具一格的熘肝尖、熘腰花、摊黄菜和煎丸子等"四绝菜"而久负盛名。

宝发园为河北明水县人国锡璋于清代宣统元年(1909)所创办,"四绝菜"则是其弟国锡瑞经过多年实践,逐渐摸索创制出来的。四菜的共同特点是一"嫩"字,而嫩感却各有不同:熘肝尖滑嫩,熘腰花脆嫩,摊黄菜软嫩,煎丸子焦嫩。

由于四绝菜鲜香可口,经济实惠,深受顾客欢迎。有一天,张学良将军慕名前来,特意点了这四个菜,食后不禁赞道:"味道确实不错,名不虚传。"并会见了国锡瑞,又赏给他十块银元。从此,宝发园名气更大,买卖更兴隆了。

解放后, 宝发园几经变迁,1979 年重新营业,由国锡瑞的儿子国栋才掌灶司厨,使几乎失传的四绝菜又获得了新生。

老山记海城馅饼

杜宏博

老山记海城馅饼店，坐落在沈阳太原街繁华的商业区，是沈阳有名的小吃店。

清代末年，海城镇火神庙街有家馅饼店，是汉民毛香伦经营的，所卖的猪牛肉鸳鸯馅水扎面馅饼，做工精细，制馅考究。1920年，毛青山子承父业，继续经营，并用自己名字中的“山”字立号，称“老山记馅饼店”。1939年迁来沈阳，为区别于其他馅饼店，在字号上又添加了原籍地名，称为“老山记海城馅饼店”。

该店之馅饼，除选料严格、配料考究外，更主要的是制作精细，皮薄馅鲜，所以多年来一直是顾客盈门，买卖兴隆。

毛青山生前我采访了他。他告诉我，他们的馅饼制作方法是用水扎面及鸳鸯馅合制而成。水扎面，关键在和面所用的水，要因季节不同而有所差异。春夏季天气暖和，用水要凉，水温在三四十度；秋冬季天冷，用水要热，水温在六七十度左右。和面时，水不要一次倒入，先倒八成，把面先抄成梭子和匀，然后以手蘸水扎面，直到面软硬适度为止。用此法和面，烙出的饼筋道有咬劲。制馅是猪牛肉搭配，四六比例。猪肉以肥瘦相兼为宜，牛肉要去掉筋头巴脑。然后用鸡汤拌馅，并辅以葱、姜、盐、料酒以及砂仁、豆蔻、肉桂等十三种药料熬制的料水，进行调味。用香油拌匀，再配以时令蔬菜包制。烙出的馅饼呈金黄色，焦酥脆嫩，鲜香适口，很值得品尝。

红极一时的南园、玉华台饭庄

唐　仲

1934 年，经营苏菜和川菜的南园饭庄开业，轰动一时。店址在西华门往北路西。主厨朱万庆技艺高超，所做南式菜点，省城罕有其匹。“九一八”事变前，朱万庆在中国银行沈阳分行司厨，有名于时。其间，京剧艺术大师梅兰芳先生来沈演出，下榻该行，朱为之掌勺，颇得梅先生赞许。南京人黄仕荣筹设南园，慕其厨艺，聘为主厨。南园以砂锅鱼翅、白扒鱼肚、干烧活鲫鱼、宫保鸡丁著称。砂锅菜和四川宫保鸡丁，多数沈阳人从未见过，来此就餐者，口味为之一新。

朱万庆不甘寄人篱下，于 1937 年另找财东，在南园北侧开设玉华台饭庄，自任经理并兼司厨。为壮声势，特从北京请来服务员郭子嘉、沈阳厚德福厨师安殿臣等人做搭档。玉华台开业后，果然门庭若市。富商大贾、伪满官吏如臧式毅、王子佑、徐维新等常在此宴客，有时还写

写对联、条幅等,附庸风雅。当时流行一句俗话:“吃了玉华台,奉天没白来。”可见享誉之盛。

南园、玉华台在其开创之初,确曾风靡一时,但后来由于种种原因,在1945年以前皆先后停业了。

李连贵熏肉大饼

唐 仲

“李连贵熏肉大饼”这个字号,几乎在全东北都很著名,沈阳有,吉林有,黑龙江也有。沈阳店在中街,店门两侧挂着黑底金字楹联,上联写:“熏肉浓郁独特风味”;下联写:“历史悠久驰名各地。”确实有独特风味,历史也确实悠久。

李连贵,吉林梨树县人,清代末年在当地梨树县经营熏肉大饼。经营之初,只是把肉弄干净,煮烂乎。当时有位老中医来用餐,对李连贵说:“你做的熏肉还不够味,我给你开几味中药,煮肉时投进去,可使肉味更香更美。你若信得过,不妨试一试。”老中医遂开了九味中药,即:砂仁、肉蔻、桂子、丁香、肉桂、紫蔻、白芷、山奈、干姜片。后经试验,煮出的酱肉果然芳香四溢,再经白糖熏制,香味愈浓郁,且经久不散。俟肉晾凉后切片食之,其肉肥而不腻,瘦而不柴。此后,又在大饼上下一番工夫,用煮肉汤加入精盐、花椒面、面粉调成软酥，包在饼内，烙出大饼松软起层，软嫩酥香。两美并一美，便妙不可言了。当时流传一句话："大饼卷熏肉，吃起来没够。"李连贵熏肉大饼，由此名声大振。

1940年李连贵之子李尧在吉林四平市设分号；1950年李尧之子李春生在沈阳城内开设了李连贵熏肉大饼店，可以说，李连贵熏肉大饼已成为东北地区性的风味小吃了。

杨家吊炉饼

唐　仲

在沈阳提起风味小吃杨家吊炉饼，几乎无人不知。其创始人名杨玉田（1886—1973），河北省抚宁县人。父亲为塾师，家贫。杨玉田为生活所迫，十二岁时到台营镇一家饭馆学徒，烙烧饼和家常饼。一次，他因心急，把家常饼放在吊炉里去烙（家常饼一般用平锅烙）。结果意外地发现，这样烙不仅费时少，而且烙出的饼更好吃。于是他便经常用吊炉烙家常饼，颇受顾客欢迎。

1913年，杨玉田携家到洮南府（今属吉林省）落户。先在街上摆设摊床，仍旧烙饼营生。后略有积蓄，便租一间小房，起个字号，叫"杨家饼铺"。杨家制饼，和面时加入适量的盐，使面增强筋力；面剂擀开后，增加甩片、抻拉诸工艺，使面

片形如薄纸。复经上烤下烙，使饼皮焦瓤软，杨玉田又在饼的大小、厚薄、造型上琢磨，吊炉饼的色香味形更臻完美，“杨麻子大饼”(此人系麻面)的名声，传遍了洮南府周围三百里的地面。杨家饼铺经营的副食多为大锅菜，诸如酸菜炖粉条、牛肉炖萝卜、家常炖鱼之类，买卖越做越好。但伪满末期诸货统制，原材料不足，杨被迫停业。

新中国成立后，杨家饼铺复业。杨玉田之次子杨善修于1950年携堂弟杨清来到沈阳，继续经营饼铺。公私合营后，正式立号“杨家吊炉饼”，从此名扬全城。八十年代后，沈阳开始评选名牌产品。杨家吊炉饼被评为沈阳市名牌风味小吃。

“小云南”在何处

李燕光

辽宁有许多宗族在追溯家史时，发现他们的先人是从“小云南”迁来的。“小云南”究竟是何地？谁都说不清楚。四十年代有位史学家说：“大云南即今云南省，小云南即今贵州省。”此说迄今未得到史学界公认。据本溪县《屈氏家谱》记载：“屈门祖系山东小云南人，大清顺治八年由小云南迁至草河城落户，入盛京镶监旗。”岫岩县《王氏谱书》中王春芳与王德精前后两序说：“始祖王明政于顺治八年由山东小云南大榆树迁到沈阳、岫岩地方，编入镶蓝旗。追溯先世乃山东琅邪王氏。山东有小云南琅邪郡地名(在今胶南县——引用者)。”王氏后人曾于1979年函询济南、烟台有关单位以及北京、辽宁各报社,对方都未能指出大榆树的所在地,仅回答据传说在山东某地,终无定论。据本溪县《张氏族谱序》记载:“吾张姓尝闻之,先祖本贯小云南,住址无可详考。兄弟四人盖因洪武年间荒岁频仍,同往山东,途中走失一人,三人至山东登州府蓬莱县城内七甲八社九兰乡住。”清初二世祖张宗龙跨海迁至广宁府,复迁至清源、兴京、辽阳(今本溪境内),编入汉军正红旗当差。辽阳州《高氏宗亲谱册》等许多宗谱,都有类似的记载。综览其原籍或出发地点,多在山东省登州府的蓬莱、文登等几县,因此可以认为,所谓小云南实际上就是这一带地方。从这里跨海到辽宁省的人,都异口同声地说是来自“小云南”。这大概因为“小云南”也如同明朝前期的山西洪洞县、清朝前期的湖北孝感县一样,是安置移民注册的地方,所以产生了类似的传闻。

从“小云南”迁到辽宁省的人,尤其是汉军八旗人,有一个共同的特征,就是小足趾为重叠形(也称“骈出者”),相传洪洞县大槐树也有此特征。这大概是由于迁徙,水土变换的原因。

辛亥革命中的袁金铠

王庆丰

袁金铠以斯文名士活动在奉天政治舞台上。当武昌起义消息传来时,他为惊慌失措的东三省总督赵尔巽出谋划策，招调张作霖带兵入城,为顽固派压住了阵脚。他与奉天联合急进会虚与委蛇,参与谋杀革命党人张榕,被行将复没的清王朝褒奖为四品京官,而颇为得意。可是时过不久,民国建立,清帝退位,袁金铠如同变色龙,又以奉天咨议局副议长的面目,伪装咸与维新。1912 年 10 月,革命党人在武昌举行全国性的辛亥革命周年纪念大会，他竟然充作奉省人民的代表去北京，并准备乘车转赴湖北参加大会。

袁金铠到北京后,住进前门西河沿迎宾馆,被急进会的赵兰亭、赵子敬发现而留难。当时急进会的主要人物均在北京，正筹备为死难烈士张榕举行追悼会,闻此消息皆义愤填膺,拟对袁复仇。张榕之姊张桂、田亚斌之妻潘静秋俱往当面责问。张桂气得拿出手枪对准袁的脑袋,让他讲出何以谋害其弟。袁立即汗泪交下,说得义楼诱捕张榕之事对他是误会,而矢口抵赖。潘静秋等转去警厅报案,并赴地方审判厅起诉。警厅派员查明袁确在宾馆，遂告宾馆经理好生看管，明早即来拘捕。

急进会诸人知道袁金铠素来险诈，恐其乘隙脱逃，遂使会员于鸣久假装至该馆投宿，暗中监守。于在夜间数次起视，皆见袁卧于帏中。后半夜忽然天降大雨，遂稍有疏忽。天亮从窗外窥视，见袁宛似鼾睡，再仔细查看，乃是用帽头套着茶壶当脑袋，被窝则是用邻床的闲枕头和褥子撑起的，才知袁趁雨金蝉脱壳，从后门逃跑了。急进会恐其赴武昌玷辱共和庆典，遂将其事披露于京津各报，并派张榕之兄张焕柏去武昌开会。后来才知道，袁金铠扮成乞丐的样子，乘京奉三等车窜回奉天了。那么他究竟参没参与谋杀革命党人呢？从其《佣雇日记语存》可以看到，就在张榕等被害的次日，他写道："征于色，发于声而后作，我犹未免为常人也。"他在暗记其功的同时，又埋怨自己尚欠阴险透顶。这个谋杀革命党人的刽子手，后来做了大汉奸，投靠日伪当了伪满洲国的大臣。

追悼辛亥革命中关东烈士挽联拾萃

王庆丰

1912年7月28日，设在北京的东三省急进会，在会长张根仁主持下，假骡马市街的湖广会馆，为辛亥革命期间英勇牺牲的奉天联合急进会会长张榕、会员恒宝昆、田义横等二百四十八名烈士召开追悼大会。到会者数百人，首由张根仁报告关东革命始末，次为张榕之姊张桂讲述张榕的革命事迹及被害情状。杨大实、赵中鹄、吴景濂也先后发言。大会共收到挽联二百余副，现摘录数副于下：

壮君等尸填冰窟，首瘗荒邱，血泪化鹃魂，那堪寇盗猖狂，黑水白山余隐痛；

恨我辈溷迹沙场，偷生毳幕，须眉惭马革，相率飘零故旧，拈花酹酒太伤情。

联合急进会全体会员挽

声称等黄花岗七二伟人，溯民国由来，当广联廿一省华夏同胞，永为诸君铸铜相；

义烈拟田横岛五百壮士，倘英灵常在，应呵护三千里故土，不教半点金瓯缺。

陈振先挽

往事费思量，几度狂飙，皂帽抛残名人泪；新朝多变幻，重寻旧雨，伤心怕读党人碑。

张根仁挽

我来北地，君系南冠，几番惆怅津门，亲飨狱中求著述；

专制可生，共和竟死，剩有依稀城郭，怕从劫后哭人民。

朱通儒挽张榕

侠骨本同根，听巾帼雄谈，允矣聂政有姊；交情成隔世，演风云惨剧，伤哉伯道无儿。

吴景濂挽张榕

祖国竟光复，谢诸君壮志犹生，推翻专制；胡天纵黑暗，问何人雄心不死，歼灭凶仇。

赵元寿挽

舍性命作民国前驱，杰士终能支大厦；以头颅为共和代价，山人也愿献蟠桃。

道士王子涛挽

狐兔正横，畴使斯人起地下；神魂未死，还应化鹤返辽东。

朱藐女士挽

查拳大师刘保瑞

王庆丰

二十年代初，沈阳皇寺大街设有一家“振远

堂”武术馆，每天都有许多人在那里弄枪舞棍，击拳飞脚，练着各种硬功和轻功。馆主刘保瑞，号玉庭，回族，从小生长在山海关，十五岁入镖局，学得闪、展、腾、挪的弹腿查拳。后来走遍河南、山东、陕西、内蒙等地，寻师访友，不仅练就体轻如燕，身坚如盘的功夫，还学得了“贴画”，即将身跃起，悬靠在墙上的绝技。经过十年风霜，可说是身怀高艺。可是民国建立后，镖局行业日趋衰落，为谋生计，刘保瑞来到关东。

在安东(今丹东)市镇上，有几个日本浪人摆下擂台，扬言打遍东北无敌手。当时相继上去两个青年，全被打下台来。刘保瑞正想要出这口恶气，一个矮小瘦削的老者已跳上台去。只见他滑来钻去，闪电似的一打旋，便把那日本大力士摔个嘴啃地，接着又掼倒了两个。最后一个举刀上来，照准老者胁肩劈下。可不知怎的，只听见“哎呀”一声，刀落人缩，持刀者的手腕已被踢折，就连刘保瑞也未看清其中的奥秘。老者的武艺确实厉害。后来访知，老者名赵熙川，早年参加过义和团。刘保瑞便去拜他为师，一学就是三年，学得了弹腿和贴山靠，能在两丈之内使对方不是遭拳就是挨脚，这在弹腿查拳中确是独树一帜。1920年，刘保瑞来到沈阳，在小西门以卖膏药治病为生。因受保安队无理欺压，忍无可忍，与之打斗，独自打翻了三四十人。随后去大连避祸，又制服了那里的流氓地头蛇。当他再回到沈阳办起武术馆时，已是名声大振的人物了。

1931年夏秋之际，张学良将军在小河沿举办国术比赛大会。东北各地武术高手云集沈阳，刘保瑞也带着徒弟张贵元参赛。张贵元施展“仙人指路”的招数,把练过四十年铁沙掌的对手踢倒在地。刘保瑞参赛的是花枪,有一个人要与他比对花枪。对舞起来,刘保瑞三招两式,一个鹞子翻身，便把对方长枪磕飞，惊得那人目瞪口呆。后来又比拳脚,刘保瑞更是压倒群雄,从而擂台得魁。随后他准备赴南京参加全国比武,因“九一八”事变未能成行,仍照旧带徒传艺。后来的东北武术老将如申金儒、孙玉奎、邢景芳等，都是他的亲传弟子。至今沈阳武术界的老先生，还经常讲起刘保瑞的轶事。

沈阳的销毒壮举

舒英华

1930年,即鸦片战争九十周年之际,沈阳也有过销毁外商毒品的壮举。

是年5月15日,辽宁省拒毒联合会协同国民外交协会、常识促进会及其他群众团体,在本省邮政局意籍邮务长巴立地的配合下，扣留了日本饭治商店等由德国汉堡贩运来的价值一百余万元的海洛英三百八十一包，外加日人山田文武的大烟土四百箱。于是拒毒联合会等团体，规定自6月14日起为拒毒周，并请准省政府组织毒品销毁委员会，由车向忱、阎宝航率领近万名大中学生及各界民众，于6月16日，在小河沿(今动物园)公共体育场当众销毁，还邀请了驻沈各国领事参观，惟独日本领事未到场。这一行动得到省警务处长兼沈阳市公安局长黄显声的支持，开会这天，他派出大批公安队和警察来维持会场秩序，并保障大会主持人的人身安全，会场周围还有一百余名学生担任纠察，所以大会开得很好。销毁毒品时，烟雾蔽天，群情振奋，高呼“粉碎日本纵毒侵华阴谋！”等口号，人人拍手称快。林则徐当年的壮举，又在沈阳再现了。

刘湘挽联

黄禹篇

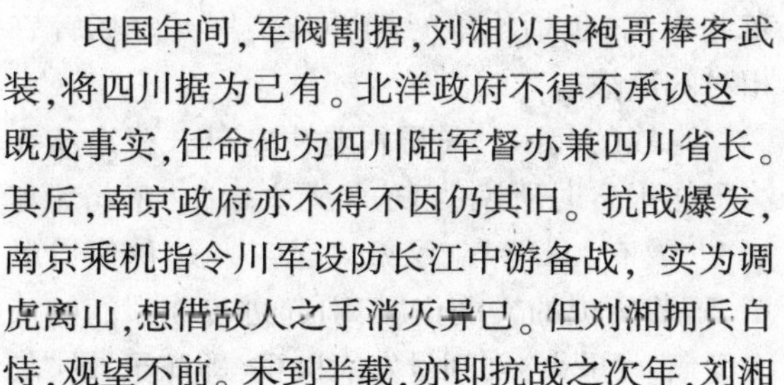

民国年间，军阀割据，刘湘以其袍哥棒客武装，将四川据为己有。北洋政府不得不承认这一既成事实，任命他为四川陆军督办兼四川省长。其后，南京政府亦不得不因仍其旧。抗战爆发，南京乘机指令川军设防长江中游备战，实为调虎离山，想借敌人之手消灭异己。但刘湘拥兵自恃，观望不前。未到半载，亦即抗战之次年，刘湘突然暴死于汉口。当其属下护灵返川治丧之际，众挽联中有一副大书曰：“我省主席千古，中华民国万年。"经办丧事的人,仓卒间认为"千古"、"万年"皆哀荣惯用语,不以为意,于是堂而皇之地把此联高悬于灵堂之上,见者无不掩口暗笑。原来此挽联的含意是"刘湘之死,乃中华之福",因刘湘生前横征暴敛,剥削无度,仅以田赋一项而论,民国十年(1921)就已预征到民国四十九年(1960)。川人恨之入骨,此联便表达了民间的积愤。

东北文艺界的一场论战

郁其文

1946年4月1日,由革命作家田贲领导的《星火》杂志,在白色恐怖下的沈阳创刊。作为《星火》主编的我,接受进步作家们的要求,从创刊号开始,便与国民党御用文人们就如何评价东北文艺(包括沦陷时期)问题,展开一场针锋相对的论战。

论战的起因,是国民党中宣部长张道藩在沈阳作报告时所说的"东北无文坛"、"东北无作家"、"要有,只能有'汉奸文艺'"。这种信口雌黄、歪曲历史的文霸作风,引起进步作家们的极大愤慨。《星火》创刊号发表曳重(即驼子)的《怎样推进东北文艺》,第二期发表铁汉的《东北文艺工作者的新使命》,不指名地予以批驳,并明确提出“接受并呼应全国进步文化工作者的主张,信从一般前进作家的领导”。

张道藩也许没看到《星火》,他的部将、国民党沈阳文化三人小组成员之一的邵某,以“路平”笔名,于5月7日《新报》副刊写了篇《今后的东北文学与作家》算是和我们应战。但他说不出什么道理,只是左一个帽子“不爱国”,右一个帽子“别再出现第二批协和作家、联邦论客”,想用“赤色分子”罪名将我们吓退。

《星火》当然不会妥协,指名道姓以路平为靶子猛烈开火。第三期发表了希平的《作家当真不爱国吗?》南宫彦的《舆论与撩骚》、吴何成的《作者和读者》,第四、五期合刊发表了《东北文化为什么荒芜?》(王埣)、《从田贲之死想起两件小事》(希平)和《星火之感》(黑风)。这些文章列举东北作家的创作事实,对路平的观点和恫吓进行了有力的驳斥。黑风干脆一针见血地指出:路平是他“主子的应声虫”。

最初《星火》是孤军作战,后来有两家报纸的副刊发表评论文章予以支持。那位路平先生和其他御用文人没能公开参与论战,只是暗中使用迫害手段。面对被捕的危险,我逃离沈阳,《星火》停刊,这场论战遂告结束。

后 记

我们收在这个集子里的，多是有关沈阳的杂史琐记,有关沈阳的旧事旧闻。由于笔者的经历所限也有记录外地的篇章,但为数是不多的。我们把搜集来的见闻，根据文章内容共分十个栏目:《侯门旧事》收辑有关张作霖、张学良父子及奉系、东北军将领的文章;《关东风云》收辑东北地区过去的政治、军事、经济事件的文章;《吉光清影》记载沈阳政界要人、学界硕儒、文艺名流的轶闻雅事;《古沈聚珍》则是介绍沈城名胜古迹、珍贵文物;《春风广被》是有关教育、文化方面的文章;《柳边风情》是反映沈阳地区风土人情、风俗习惯的文章;《沈城遗迹》是介绍沈城建设变迁的文章;《红氍毹上》介绍沈城梨园旧闻、名伶趣事;《食不厌精》记录的是沈阳地区的名厨名菜、小吃大餐、珍馐美味;《东鳞西爪》则是难以归类立目的散在文章。在这些文章中保存了清末至解放前这段历史时期内的政治、经济、军事、文化、科技、风土、社会生活及人物轶闻等多方面材料。本着亲历、亲闻、亲见的“三亲”原则写下来，故而史料还是翔实可靠的，对正史来说，多少能起一点补缺的作用，能够帮助读者了解昔日的沈阳是什么样子的。

总之，我们认为这类笔记，不仅能增长知识、开阔视野、启迪智慧，而且通过新旧的对比，还能增强读者对新社会、新国家、新沈阳的热爱。

由于编辑人员所涉有限，有些拿不准的篇章便割爱不用了，有些领域尚未涉及，即使收录进来的文章是否与其他出版史书有重叠杂糅之处，有的一时也辨析不清；至于在文采上，以简驭繁，粗画眉目把握得也不够精确，这些都是编辑水平的问题，今后应进一步提高。请读者多提宝贵意见。

我们把本册书以《沈鸿缀羽》名称献给读者。在编撰过程中，自始至终得到沈阳市委、市政府领导的关怀和指导，创造各种条件，使编撰工作得以顺利进行；本馆馆员积极撰稿；特邀的馆外撰稿人为本册提供了优秀稿件，在此一并表示我们的感谢！

参加本分册编辑工作的人员有：李仲元、王恩涛、朱子方、张秀材、王曾、吴本任。

编　者